ZERO TO ONE

매일 더 똑똑해지는
IT 교양서

용하
21스쿼드

ZERO TO ONE #1 - 매일 더 똑똑해지는 IT 교양서

발 행 | 2024년 06월 20일
저 자 | 장용하, 021스쿼드
펴낸이 | 한건희
펴낸곳 | 주식회사 부크크
출판사 등록 | 2014.07.15.(제2014-16호)
주 소 | 서울특별시 금천구 가산디지털1로 119 SK트윈타워 A동 305호
전 화 | 1670-8316
이메일 | info@bookk.co.kr
ISBN | 979-11-410-8888-0
www.bookk.co.kr

CREDITS

해킹을 취미로, 취미로 해킹.
합법적으로 해킹하고 해킹 대회도 나가봅시다.
온라인 스터디도 모집 중!

* https://bit.ly/8acking

condaa

콘텐츠의 바다, 콘다입니다! 이미지, 전자책뿐 아니라 각종 서식, 책, 논문 심지어 누군가의 생각, 상상, 일상, 아이디어 등 이 세상의 모든 콘텐츠가 바로 여기에 있습니다!

* https://condaa.com

5월8일
주식회사

네, 그렇습니다. 1년 내내 오로지 오직 어버이날 선물만을 연구합니다. 왜, Why 5월8일 주식회사는 어버이날 선물만 연구할까요?

* https://5월8일.com

놀면뭐해주식회사

놀면뭐해 주식회사. 창업 인프라 기업.
남녀노소 누구나 사업가가 되어 지속적으로 성장할 수 있도록, 가장 저렴하게 가장 파격적으로!

* https://illhaja.com

무한집합에서 전국에 무한개의 집을 소유하세요.
온 세상, 온 우주를 집으로 삼고 마음껏 누비시기 바랍니다!

* https://무한집합.com

INTRO

오늘날 많은 이들이 사이버 공간으로의 이주를 마쳤습니다. 이제 사람들은 대부분의 시간을 IT 기기 속에서 보내게 되었습니다. 음식을 주문할 때도 쇼핑할 때도 여가를 즐길 때도 IT는 항상 따라다닙니다. 최소한 음악이라도 하나 틀어야 하니까요.

IT는 과거 작은 변화로 시작하였지만 마치 피보나치처럼 점점 큰 영향을 미치며 가속화될 것입니다. 모든 곳에 AI가 깃드는 것은 물론, 기억이나 의식을 드라이브에 저장하고 불러오는 시대가 도래할 것입니다. 나아가 세계 단일 정부를 출현시키는 기반도 될 것입니다. 소설 같지만 단지 시점이 문제일 뿐입니다.

사이버 공간은 또 다른 우주입니다. 우리가 사는 세계와 겹쳐 있어 의식하기 어렵지만 그들만의 영토와, 생태계, 거버넌스가 있습니다. 이곳에 오늘도 사람들은 이주하고 있습니다.

사이버 공간은 그렇게 계속 이주하도록 정교하게 디자인되었습니다. 그리고 잘 작동하고 있습니다. 그러면 이어서 무슨 일이 벌어질까요? 뭔지도 모르고 무방비여도 괜찮은 걸까요? 조금이라도 답이 되어드리겠습니다. 참고로 ZERO TO ONE는 0과 1뿐인 사이버 공간에서 모든 것(0에서 1까지, A to Z)이라는 뜻입니다.

AUTHOR

장 용 하

고등학교는 꼴등으로 졸업하였으나 한국공학대학교 컴퓨터공학과에서 수석으로 졸업하였다. 미사일전략사령부 CERT 팀장, 한국외국어대학교 정보보안 담당 등을 역임하였다. 그러나 사이버 공간 외부의 취약점을 다루는 것도 좋아한다. 주요 저서는 『취미로 해킹#n』, 『생활코딩! 파이썬』, 『ZERO TO ONE#n』 등이 있다.

021스쿼드

0과 1이 모든 것인 사이버 공간에서, 0부터 1까지(Zero To One) 모든 지역을 찾아다니면서 툭툭 건드리거나 일단 주머니에 넣고 보는 탐험단. "갈매기 갈매기, 여기는 갈매기 공둘하나. 좌표 찰리호텔 삼하나둘칠 삼하나둘칠 현 시간부로 진입하겠음 이상."

매일 더 똑똑해지는 IT 교양서

ZERO TO ONE #1

『 1 』

다음 중 해킹 방법이 아닌 것은 무엇인가?

1. 피싱(Phishing)

2. 스푸핑(Spoofing)

3. 디도스(DDoS)

4. 텔레키네시스(Telekinesis)

[정답]
4. 텔레킨제시스(Telekinesis)

[해설]
피싱(Phishing)은 사용자로부터 중요 정보(비밀번호, 신용카드 정보 등)를 빼내기 위해 가짜 웹사이트나 이메일 등을 사용하는 사기 기법이다.

스푸핑(Spoofing)은 공격자가 다른 사람이나 장치로 가장하여 정보를 획득하거나 시스템에 무단으로 접근하기 위해 사용하는 기법이고, 디도스(DDoS, Distributed Denial of Service) 공격은 여러 컴퓨터를 이용하여 한 웹사이트나 네트워크에 동시에 대량의 요청을 보내 서비스를 마비시키는 공격 방법이다.

반면, 텔레킨제시스(Telekinesis)는 물체를 마음으로 움직이는 초자연적 능력을 의미하며, 해킹과는 전혀 관련이 없다. 따라서 정답은 4번, 텔레킨제시스이다.

『 2 』

인류 역사상 가장 초기에 발견된 컴퓨터 바이러스는 무엇인가?

1. ILOVEYOU

2. 크리퍼(Creeper) 바이러스

3. 블래스터(Blaster) 바이러스

4. 미스터스미스(MrSmith) 바이러스

[정답]
2. 크리퍼(Creeper) 바이러스

[해설]
크리퍼(Creeper) 바이러스는 1971년에 발견된 것으로 알려져 있으며, 컴퓨터 네트워크를 통해 자신을 복제하여 다른 시스템으로 전파할 수 있는 최초의 컴퓨터 바이러스로 평가받았다.

이 바이러스는 "I'M THE CREEPER : CATCH ME IF YOU CAN"이라는 메시지를 화면에 표시했다. 크리퍼 바이러스는 해로운 행동을 하지는 않았지만, 컴퓨터 보안의 중요성을 인식시키는 계기가 되었다.

이후 레이 톰린슨이 크리퍼 바이러스를 제거하기 위해 레퍼(Reaper)라는 프로그램을 만들었는데, 이는 사실상 최초의 안티 바이러스 소프트웨어로 볼 수 있다. 크리퍼 바이러스는 컴퓨터 보안 분야에서 중요한 역사적 사건 중 하나로 여겨지며, 이후 등장한 다양한 바이러스와 해킹 기술의 발전에 대한 인식을 높이는 데 이바지하였다.

『 3 』

광범위하게 퍼진 워너크라이(WannaCry) 랜섬웨어 공격에 사용된 취약점은 어디에서 유래되었을까?

1. 사용자의 이메일 계정 해킹

2. 미국 국가안보국(NSA)에서 개발된 사이버 무기

3. 소셜 네트워크 사이트의 데이터 유출

4. 공개 소프트웨어 라이브러리의 버그

[정답]

2. 미국 국가안보국(NSA)에서 개발된 사이버 무기

[해설]

워너크라이 랜섬웨어는 전 세계 수십만 대의 컴퓨터를 감염시켜 큰 피해를 일으켰다. 이 랜섬웨어는 'EternalBlue'라는 취약점을 이용했는데, 이 취약점은 원래 미국 국가안보국(NSA)에서 개발된 사이버 무기 중 하나로, 마이크로소프트 윈도우 운영체제의 SMB(Server Message Block) 프로토콜에서 발견되었다.

NSA는 이 취약점을 비밀리에 보유하고 있었지만, 2017년에 'Shadow Brokers'라는 해킹 그룹에 의해 공개되었고, 이후 워너크라이 랜섬웨어의 확산으로 이어졌다.

워너크라이는 전 세계적으로 큰 피해를 입혔으며, 보안 전문가들은 정기적인 소프트웨어 업데이트와 백업의 중요성을 강조하며 이 사건을 계기로 보안 의식을 높일 것을 촉구했다.

『 4 』

다음 중 암호화 기술에 대한 설명으로 올바르지 않은 것은?

1. 대칭키 암호화에서는 암호화와 복호화에 같은 키를 사용한다.

2. 비대칭키 암호화에서는 공개키로 암호화하고 비밀키로 복호화 한다.

3. 해시 함수는 암호화된 데이터를 원래의 데이터로 복호화하는 데 사용된다.

4. SSL(Secure Sockets Layer)은 인터넷 상에서 데이터를 안전하게 전송하기 위해 사용되는 암호화 프로토콜이다.

[정답]

3. 해시 함수는 암호화된 데이터를 원래의 데이터로 복호화하는 데 사용된다.

[해설]

대칭키 암호화는 암호화와 복호화 과정에서 같은 키를 사용하는 방식이다. 반면, 비대칭키 암호화는 두 개의 키를 사용한다. 여기에는 공개키와 비밀키가 있는데, 하나의 키로 암호화하면 다른 키로만 복호화할 수 있다.

SSL(Secure Sockets Layer)은 웹 브라우저와 서버 간의 데이터 전송을 암호화하여 보안을 강화하는 프로토콜이다.

그러나 해시 함수는 한 번 처리된 데이터를 원래의 데이터로 되돌릴 수 없는 단방향 암호화 기술이다. 따라서 암호화된 데이터를 원래의 데이터로 복호화하는 데 사용된다는 설명은 틀렸다. 정답은 3번이다.

『 5 』

해킹 공격 중에서, 공격자가 대량의 데이터 요청을 보내어 웹사이트나 서비스를 마비시키는 공격 방법은 무엇인가?

1. 피싱(Phishing)

2. 스피어 피싱(Spear Phishing)

3. SQL 인젝션(SQL Injection)

4. 분산 서비스 거부
   (DDoS, Distributed Denial of Service)

[정답]

4. 분산 서비스 거부
   (DDoS, Distributed Denial of Service)

[해설]

분산 서비스 거부(DDoS) 공격은 공격자가 다수의 시스템을 이용해 특정 웹사이트나 서비스에 대량의 트래픽을 유발하여 서비스의 정상적인 운영을 방해하는 방법이다.

이로 인해 서버는 정상적인 요청을 처리하지 못하게 되고, 실제 사용자들은 서비스를 이용할 수 없게 된다. DDoS 공격은 다른 해킹 기법에 비해 상대적으로 간단하면서도 파괴적인 결과를 초래할 수 있기 때문에 많은 기업과 조직에서 주요 보안 위협으로 간주한다.

이러한 공격을 방어하려면 트래픽의 양과 유형을 모니터링하고, 비정상적인 트래픽 패턴을 식별할 수 있는 보안 시스템이 필요하다. 또한, 분산된 서비스 구조를 구축해 하나의 서비스 지점이 공격을 받더라도 전체 시스템이 마비되지 않도록 하는 대책도 중요하다.

『 6 』

사이버 보안에서 '사회 공학(Social Engineering)'이란 무엇을 의미하는가?

1. 소프트웨어의 취약점을 이용하여 시스템에 침투하는 기술

2. 사람의 심리나 신뢰를 이용하여 정보를 얻어내는 기술

3. 사회적 네트워크를 통해 컴퓨터 바이러스를 퍼트리는 기술

4. 컴퓨터 시스템의 하드웨어적 결함을 이용하는 기술

[정답]

2. 사람의 심리나 신뢰를 이용하여 정보를 얻어내는 기술

[해설]

사회 공학(Social Engineering)은 기술적인 해킹 방법이 아닌, 사람의 심리적 취약성을 이용하여 비밀번호, 개인 정보 등을 얻어내는 방법을 말합니다. 공격자는 피싱, 프리텍스팅(pretexting), 베이트링(baiting) 같은 다양한 방법을 사용하여 피해자를 속이거나 신뢰를 얻어 정보를 얻어냅니다. 이러한 공격은 피해자가 의심하지 않는 상태에서 자연스럽게 정보를 제공하게 만들기 때문에, 기술적인 보안 조치만으로는 방어하기 어렵습니다. 따라서, 사회 공학 공격을 방어하기 위해서는 교육과 훈련을 통해 사용자의 인식을 높이고, 의심스러운 요청이나 메시지에 대해 주의를 기울이도록 해야 합니다.

『 7 』

인터넷에서 많이 사용되는 비밀번호 중 하나는 무엇일까?

1. password

2. 123456

3. qwerty

4. letmein

[정답]

2. 123456

[해설]

인터넷 사용자들 사이에서 "123456"이라는 비밀번호가 통계적으로 흔하게 사용된다는 사실은 놀랍다. 기억하기 쉬운 비밀번호를 선호하는 경향이 있기에 숫자를 순서대로 나열한 "123456"은 자주 사용된다. 하지만 이런 비밀번호는 해커들에게는 매우 쉬운 타겟이 되기 마련이다. 보다 복잡하고 예측하기 어려운 비밀번호를 사용하는 것은 중요하다.

보안 전문가들도 대문자, 소문자, 숫자, 특수 문자를 조합한 비밀번호를 사용할 것을 권장하고, 정기적으로 비밀번호를 변경하는 것이 좋다고 권고하고 있다. "123456" 외에도 "password", "123456789", "qwerty" 같은 비밀번호도 흔하게 사용되는 편이다. 이런 간단하고 예측 가능한 비밀번호를 사용하는 것은 계정 보안을 심각하게 위협할 수 있으므로 주의가 필요하다.

『 8 』

다음 중 가장 안전한 2차 인증 방법은 무엇일까?

1. 문자 메시지(SMS)를 통한 인증 코드 전송

2. 이메일을 통한 인증 코드 전송

3. 전화를 통한 음성 인증

4. 하드웨어 토큰을 이용한 인증

[정답]
4. 하드웨어 토큰을 이용한 인증

[해설]
2차 인증(2FA)은 계정 보안을 강화하기 위해 비밀번호 외에 추가적인 인증 절차를 요구하는 보안 기법이다. 문자 메시지(SMS), 이메일, 전화 음성 인증 등 다양한 2차 인증 방법이 있지만, 이들 중 하드웨어 토큰을 이용한 인증 방법이 가장 안전한 것으로 생각된다.

하드웨어 토큰은 물리적인 장치를 의미하며, 사용자가 로그인할 때마다 장치가 생성하는 일회용 코드를 입력해야 한다. 이 방법은 문자 메시지나 이메일을 통한 인증보다 훨씬 안전하다. 왜냐하면 문자 메시지나 이메일은 해킹이나 피싱 공격에 의해 코드가 도난당할 위험이 있지만, 하드웨어 토큰은 물리적으로 소유하고 있어야 하므로 도난당할 위험이 훨씬 적기 때문이다.

또한, 하드웨어 토큰은 특정 시간 동안만 유효한 코드를 생성하기 때문에 코드가 노출되더라도 공격자가 이를 악용하기 어렵다. 그래서 보안을 최우선으로 생각한다면 하드웨어 토큰을 이용한 2차 인증 방법을 선택하는 것이 가장 안전한 선택이다.

『 9 』

공개 Wi-Fi를 사용할 때 개인 정보를 보호하는 가장 효과적인 방법은 무엇일까?

1. VPN 사용하기

2. 웹사이트 주소 앞에 "https://" 확인하기

3. Wi-Fi 네트워크에 자동 연결 설정 끄기

4. 공개 Wi-Fi 사용을 피하기

[정답]

1. VPN 사용하기

[해설]

공개 Wi-Fi는 많은 사람들이 접근할 수 있는 네트워크이기 때문에 해커들에게 개인 정보를 노출시킬 위험이 있다. 반면에 VPN을 사용하면 인터넷 트래픽이 암호화되어 공개 Wi-Fi를 통해 데이터를 전송할 때도 개인 정보 보호가 가능하다.

"https://"는 웹사이트가 안전한 연결을 사용하고 있음을 나타내지만, 이것만으로는 공개 Wi-Fi 환경에서 발생할 수 있는 모든 보안 위협을 방지하기에는 충분하지 않다.

Wi-Fi 네트워크에 자동 연결 설정을 끄는 것과 공개 Wi-Fi 사용을 피하는 것도 안전한 인터넷 사용을 위한 좋은 습관이지만, VPN 사용은 데이터를 암호화하여 더 높은 수준의 보안을 제공한다. 따라서, 공개 Wi-Fi를 사용할 때 VPN을 사용하는 것이 가장 안전한 방법이다.

『 10 』

웹사이트 개발 시, 사용자의 비밀번호를 안전하게 보호하기 위해 사용되는 기술은 무엇일까요?

1. SSL 인증

2. 캡차(CAPTCHA)

3. 해시 함수

4. 쿠키 사용

[정답]
3. 해시 함수

[해설]
웹사이트 개발 시 사용자의 비밀번호를 안전하게 보호하는 데에는 여러 가지 방법이 있으나, 가장 효과적으로 비밀번호를 보호하는 기술은 '해시 함수'를 사용하는 것이다.

해시 함수는 어떠한 길이의 데이터를 입력받아 고정된 길이의 해시값을 출력하는 함수로, 이 과정에서 원본 데이터를 복원할 수 없는 일방향성을 가진다. 이러한 특징 때문에 비밀번호를 해시 함수로 처리하면 심지어 데이터베이스가 해킹 당하더라도 비밀번호가 직접 노출되지 않아 사용자의 정보가 보다 안전하게 보호될 수 있다.

SSL 인증은 웹사이트와 사용자 간의 데이터 전송을 암호화하여 보호하지만 비밀번호 저장 방식 자체를 보호하지는 않는다. 캡차(CAPTCHA)는 자동화된 접근을 방지하는 데 사용되며, 쿠키는 사용자의 세션 관리나 선호도 저장 등에 사용되지만 비밀번호를 안전하게 저장하는 데 직접적으로 사용되는 기술은 아니다. 따라서, 비밀번호의 안전한 보호를 위해선 해시 함수의 사용이 가장 적합하다.

『 11 』

다음 중 인터넷의 초기 개발에 기여한 프로젝트로 알려진 것은 무엇인가?

1. ARPANET

2. HAL 9000

3. ENIAC

4. 스페이스X

[정답]

1. ARPANET

[해설]

인터넷의 초기 개발에 가장 큰 기여를 한 프로젝트는 ARPANET이다. 1960년대 후반 미국 국방부의 고등연구계획국(ARPA)에 의해 시작된 이 프로젝트는 여러 대학과 연구소가 서로 원격 통신을 할 수 있게 만들어, 인터넷의 전신으로 여겨진다.

HAL 9000은 아서 C. 클라크의 소설 "2001 스페이스 오디세이"에 등장하는 가상의 인공지능 컴퓨터이며, ENIAC은 1946년에 완성된 세계 최초의 전자식 일반 목적 디지털 컴퓨터다. 스페이스X는 일론 머스크가 설립한 우주 탐사 기업으로, 인터넷의 초기 개발과는 관련이 없다. 따라서 정답은 1번, ARPANET이다.

『 12 』

컴퓨터 네트워크 보안에서 가장 널리 사용되는 암호화 기법 중 하나인 RSA 암호화 방식의 기본 원리는 무엇일까?

1. 대칭키 암호화 방식

2. 비대칭키 암호화 방식

3. 해시 함수

4. 블록 체인 기술

[정답]
2. 비대칭키 암호화 방식

[해설]
RSA 암호화 방식은 공개 키 암호화 시스템의 일종으로, 비대칭키 암호화 방식에 속한다. 이 방식은 두 개의 키를 사용하는 것이 특징인데, 하나는 공개 키로서 누구나 알 수 있고 다른 하나는 개인 키로서 비밀리에 유지된다. 메시지를 보낼 때는 수신자의 공개 키로 메시지를 암호화하고 수신자는 자신의 개인 키로 이를 복호화한다. 이러한 방식은 메시지의 안전한 전송을 보장하며, 디지털 서명에도 널리 사용된다.

RSA는 그 이름이 창시자인 로널드 리베스트(Ron Rivest), 아디 샤미르(Adi Shamir), 레너드 애들먼(Leonard Adleman)의 성을 따서 명명되었다. 이 암호화 기술은 1977년에 공개되었으며, 그 이후로 디지털 시대의 보안을 위한 핵심 기술 중 하나로 자리잡았다.

RSA 암호화 방식은 공개 키와 개인 키 간의 수학적 관계를 기반으로 하며, 이는 큰 소수를 이용한 일방향 함수의 특성 때문에 외부로부터의 해킹이 극도로 어렵다. 따라서, 안전한 정보 교환과 디지털 서명, 인증 등에 널리 사용되고 있다.

『 13 』

인터넷 사용 중 개인 정보 보호를 위해 흔히 사용되는 VPN의 기능 중 하나가 아닌 것은 무엇인가요?

1. 사용자의 IP 주소 숨기기

2. 데이터 암호화

3. 안전하지 않은 네트워크에서의 보안 강화

4. 모든 인터넷 콘텐츠의 속도 향상

[정답]
4. 모든 인터넷 콘텐츠의 속도 향상

[해설]
VPN(Virtual Private Network)은 인터넷 사용 시 개인 정보 보호와 데이터 보안을 위해 널리 사용되는 기술이다. 사용자의 IP 주소를 숨기고, 데이터를 암호화하며, 안전하지 않은 네트워크에서 사용자의 정보를 보호하는 등의 기능을 제공한다.

이런 기능들은 사용자의 온라인 활동을 안전하게 만들어 준다. 그러나 VPN이 인터넷 콘텐츠의 속도를 향상시킨다는 것은 잘못된 정보다. 사실, VPN을 사용하면 데이터가 암호화되고 다른 서버를 거쳐야 하기에 인터넷 속도가 느려질 수 있다. 따라서, VPN의 주요 목적은 보안과 개인정보보호에 있으며 모든 인터넷 콘텐츠의 속도를 향상시키는 것이 아니다.

『 14 』

랜섬웨어 공격을 예방하기 위한 가장 효과적인 방법은 무엇인까?

1. 인터넷 연결을 사용하지 않기

2. 정기적으로 시스템 백업하기

3. 모든 이메일에 답장하기

4. 안티바이러스 소프트웨어를 사용하지 않기

[정답]
2. 정기적으로 시스템 백업하기

[해설]
랜섬웨어는 사용자의 파일을 암호화시키고, 이를 해제하기 위해 금전을 요구하는 악성 프로그램이다. 이런 공격에 대비하는 가장 효과적인 방법 중 하나는 중요 데이터를 정기적으로 백업하는 것이다.

이렇게 하면, 만약 랜섬웨어에 감염되더라도 백업된 데이터를 통해 시스템을 복구할 수 있으며, 공격자에게 금전을 지불하지 않아도 된다.

인터넷 연결을 사용하지 않는 것(1번)은 현대 사회에서 현실적이지 않으며, 모든 이메일에 답장하는 것(3번)은 오히려 더 많은 위험에 노출될 수 있다. 또한, 안티바이러스 소프트웨어(4번)를 사용하지 않는 것은 보안 측면에서 매우 부적절한 조치다. 따라서, 데이터를 정기적으로 백업하는 것이 랜섬웨어 공격에 대비하는 가장 효과적인 방법이다.

『 15 』

네트워크 보안에서 가장 널리 사용되는 암호화 프로토콜인 SSL과 TLS의 주요 차이점은 무엇일까?

1. 암호화 알고리즘의 차이

2. 포트 번호의 차이

3. 보안 수준의 차이

4. 이름만 다를 뿐, 기술적인 차이는 없음

[정답]
3. 보안 수준의 차이

[해설]
SSL(Secure Sockets Layer)과 TLS(Transport Layer Security)는 인터넷에서 데이터를 안전하게 전송하기 위해 사용되는 암호화 프로토콜이다.

SSL은 1990년대 초 넷스케이프에 의해 개발되었으며, TLS는 SSL의 후속 버전으로 1999년에 IETF(Internet Engineering Task Force)에 의해 표준화되었다.

TLS는 SSL보다 더 발전된 보안 기능을 제공한다. 예를 들어, TLS에서는 더 많은 암호화 알고리즘이 지원되고 암호화 방식이 더욱 체계화되어 있다. 또한 TLS는 메시지 인증, 키 교환, 암호화 방법에 있어서 보안 수준이 더 높은 알고리즘을 사용한다.

따라서, SSL과 TLS의 주요 차이점은 보안 수준의 차이라고 할 수 있다. SSL 프로토콜은 점차 사용이 줄어들고 있으며, 현재는 TLS가 보안 통신의 표준으로 자리잡고 있다.

『 16 』

사이버 보안 위협 중 OT(Operational Technology) 공격이라는 게 있다. OT 공격의 주요 특징은 무엇일까?

1. 랜섬웨어를 통한 시스템 마비

2. 산업제어시스템 해킹으로 인한 물리적 피해

3. 클라우드 환경에서의 데이터 유출

4. 생성형 AI를 이용한 악성코드 생성

[정답]
2. 산업제어시스템 해킹으로 인한 물리적 피해

[해설]
주목해야 할 사이버 보안 위협 중 하나는 OT(Operational Technology) 공격이다. OT 공격의 주요 특징은 산업제어시스템 해킹으로 인한 물리적 피해다.

OT 공격은 산업시설의 제어 시스템을 공격하여 생산 중단, 설비 파괴 등의 물리적 피해를 초래할 수 있다. 이는 기존 IT 시스템 공격과는 다른 양상을 보이며, 산업 현장의 안전과 생산성에 직접적인 영향을 미칠 수 있다.

OT 공격은 증가하는 추세다. 이는 산업 현장의 디지털화와 연결성 증가로 인해 OT 시스템의 보안 취약점이 함께 증가하기 때문이다. 또한 국가 지원을 받는 해커 그룹들이 주요 산업시설을 표적으로 삼아 물리적 피해를 주는 사례도 늘어나고 있다.

따라서 기업들은 OT 시스템에 대한 보안 강화와 함께 사이버-물리 시스템 간 연계 보안을 강화해야 한다. 이를 통해 OT 공격으로 인한 물리적 피해를 최소화할 수 있을 것이다.

『 17 』

생성형 AI 기술로 인해 발생할 수 있는 가장 치명적인 위협은 무엇일까?

1. 악성코드 생성을 통한 시스템 감염

2. 가짜 뉴스 및 허위 정보 생성

3. 개인정보유출을 위한 피싱 공격

4. 이상행동 탐지 우회를 통한 공격

[정답]
1. 악성코드 생성을 통한 시스템 감염

[해설]
생성형 AI 기술로 인해 발생할 수 있는 가장 치명적인 위협은 악성코드 생성을 통한 시스템 감염이다.

생성형 AI 기술은 이미지, 텍스트, 코드 등을 생성할 수 있는 기술로, 이를 악용하여 악성코드를 생성할 수 있다. 이러한 악성코드는 기존 시그니처 기반 탐지 기술을 우회할 수 있어 더욱 위험하다.

또한 생성형 AI는 가짜 뉴스 및 허위 정보 생성, 개인정보 유출을 위한 피싱 공격, 이상행동 탐지 우회 등 다양한 방식으로 악용될 수 있다. 이에 따라 보안 전문가들은 생성형 AI 기술의 악용 가능성에 주목하고 있다.

따라서 기업과 개인은 생성형 AI 기술의 위협에 대비하기 위해 AI 기반 보안 솔루션 도입, 직원 교육, 취약점 관리 등 다각도의 대응 방안을 마련해야 한다.

『 18 』

아래 인물 중 가장 유명한 해커는 누구일까?

1. 케빈 미트닉

2. 빌 게이츠

3. 스티브 잡스

4. 래리 엘리슨

[정답]

1. 케빈 미트닉

[해설]

케빈 미트닉은 1980년대와 1990년대에 활동한 미국의 해커로, 사회공학적 해킹 기법을 잘 활용하여 유명해졌다. 그는 기술적인 지식 없이도 다양한 헛점을 이용하여 정보를 얻는 방법을 사용했는데, 이는 예측 불가능한 취약성을 지닌 인간이 공격 대상이 될 수 있다는 것을 보여주었다.

미트닉은 여러 기업과 정부 기관의 시스템을 해킹하여 큰 주목을 받았지만, 결국 체포되어 5년 동안 수감되었다. 그 후 그는 보안 컨설턴트로 활동하며 해킹 방어와 관련된 연구를 하고 있다.

『 19 』

콜로니얼 파이프라인 랜섬웨어 공격으로 인해 유발된 가장 큰 영향은 무엇이었는가?

1. 개인정보 유출

2. 시설 가동 중단

3. 연료 가격 상승

4. 정부 개입

[정답]
2. 시설 가동 중단

[해설]
콜로니얼 파이프라인 랜섬웨어 공격의 가장 큰 영향은 시설 가동 중단이었다. 이 공격으로 인해 콜로니얼 파이프라인 전체 인프라가 처음으로 폐쇄되었고, 이로 인해 일부 지역에서 연료 부족과 가격 상승이 발생했다.

연료 가격 상승은 시설 가동 중단의 결과로 나타난 현상이었다. 개인정보 유출은 이번 사건의 주요 문제점은 아니었다. 정부 개입은 시설 가동 중단에 대한 대응 조치였다.

따라서 이번 공격의 가장 큰 영향은 시설 가동 중단이다. 이는 에너지 인프라에 대한 사이버 공격의 심각성을 보여주는 사례로, 향후에 이러한 공격이 재발하지 않도록 관련 대비와 대응 방안 마련이 필요하다.

『 20 』

다음 중 가장 효율적인 데이터 압축 방법은?

1. 허프만 코딩

2. 런 길이 인코딩

3. 룰렛 휠 선택

4. LZW(Lempel-Ziv-Welch) 압축

[정답]

4. LZW(Lempel-Ziv-Welch) 압축

[해설]

데이터 압축의 목적은 정보를 가능한 한 적은 비트로 표현하여 저장 공간을 절약하고, 데이터 전송 시간을 단축하는 것이다. 이를 위해서는 데이터의 패턴을 분석하여 더 효율적으로 표현할 수 있는 방법을 찾아야 한다. 여기서 제시된 네 가지 방법 중, LZW(Lempel-Ziv-Welch) 압축 방법은 다양한 유형의 데이터에 대해 높은 압축률을 제공하며 실제 응용 프로그램에서 널리 사용되고 있다.

1. 허프만 코딩은 문자의 출현 빈도에 따라 가변 길이 코드를 할당하는 방식으로, 특히 텍스트 데이터에 대해 효율적이다. 각 문자에 대한 코드를 생성할 때 가장 자주 나타나는 문자에 더 짧은 코드를 할당하여 전체적으로 필요한 비트 수를 줄인다.

2. 런 길이 인코딩은 동일한 값이 연속적으로 나타나는 데이터를 압축하는 데 유용하다. 이 방식은 데이터의 '런(run)'이라고 하는 연속된 반복을 값과 반복 횟수로 표현하여 압축한다. 예를 들어, "AAAABBBCCDAA"를 "4A3B2C1D2A"와 같이 표현할 수 있다.

3. 룰렛 휠 선택은 주로 유전 알고리즘에서 사용되는 선택 메커

니즘이며, 데이터 압축과는 직접적인 관련이 없다. 이 방법은 개체의 적합도에 비례하여 다음 세대에 선택될 개체를 결정하는 데 사용된다.

4. LZW(Lempel-Ziv-Welch) 압축은 문자열 패턴을 사전(dictionary)에 저장하고, 이 패턴이 다시 등장할 때마다 사전의 인덱스를 사용하여 참조하는 방식이다. 초기에는 사전이 비어 있지만, 데이터를 스캔하면서 새로운 문자열 패턴을 사전에 추가한다. 이후 같은 패턴이 나타날 때마다 해당 패턴에 할당된 짧은 코드로 대체하여 데이터를 압축한다. 이 방법은 텍스트, 이미지, 오디오 등 다양한 유형의 데이터에 대해 좋은 압축률을 제공하며, 특히 고정된 사전 크기로 인해 실행 시간과 메모리 사용량이 예측 가능하다는 장점이 있다. 따라서, 주어진 선택지 중 LZW 압축 방법이 가장 효율적인 데이터 압축 방법으로 평가될 수 있다.

매일 더 똑똑해지는 IT 교양서

ZERO TO ONE #1

『 21 』

64비트 시스템에서 포인터의 크기는?

1. 2바이트

2. 4바이트

3. 8바이트

4. 16바이트

[정답]
3. 8바이트

[해설]
컴퓨터 시스템에서 포인터의 크기는 해당 시스템의 아키텍처에 따라 결정된다. 포인터는 메모리 주소를 가리키는 등 참조하는 데 사용되며, 그 크기는 시스템이 처리할 수 있는 메모리 주소의 범위와 직결된다. 32비트 시스템에서는 4바이트(32비트) 크기의 포인터를 사용하여 메모리 주소를 나타낸다. 이는 32비트 시스템이 약 4GB(2의 32승 바이트)의 메모리 주소 공간을 관리할 수 있음을 의미한다.

반면, 64비트 시스템은 8바이트(64비트) 크기의 포인터를 사용한다. 이는 64비트 시스템이 훨씬 더 큰 메모리 주소 공간, 구체적으로는 16엑사바이트(EB) 또는 2의 64승 바이트까지 관리할 수 있음을 의미한다. 이러한 큰 메모리 주소 범위는 매우 큰 데이터 세트를 메모리에 저장하고 처리하는 데 유용하며, 현대의 대규모 컴퓨팅 환경에서 필수적이다.

64비트 시스템의 개발과 보급은 데이터 처리와 메모리 관리의 효율성을 크게 향상시켰다. 이는 고해상도 그래픽 처리, 대규모 데이터베이스 운영, 복잡한 과학 계산 등 다양한 응용 프로그램에서 그 이점을 발휘한다. 따라서 현대 컴퓨터 시스템에서 64비트 아키텍처는 표준으로 자리잡았으며, 개발자들은 이를 기반으로 한 소프트웨어와 시스템을 설계한다.

포인터의 크기가 커짐에 따라 허용되는 메모리 주소 공간의 확장은 컴퓨터 과학과 거의 모든 기술 분야에서 상당한 혁신을 가져왔다. 이는 개발자들과 최종 사용자 모두에게 더욱 강력하고 효율적인 컴퓨팅 경험을 제공한다. 따라서 이 퀴즈의 정답은 3번, 8바이트이다.

매일 더 똑똑해지는 IT 교양서

ZERO TO ONE #1

#『 22 』

프로그래밍 언어 파이썬에서 리스트(list)와 튜플(tuple)의 주요한 차이점은?

1. 리스트는 데이터를 순서대로 저장하는 반면, 튜플은 순서 없이 데이터를 저장한다.

2. 리스트만이 문자열 데이터 타입을 저장할 수 있다.

3. 리스트는 변경 가능(mutable)하고, 튜플은 변경 불가능(immutable)하다.

4. 튜플만이 반복문에서 사용될 수 있다.

[정답]

3. 리스트는 변경 가능(mutable)하고, 튜플은 변경 불가능(immutable)하다.

[해설]

리스트(list)와 튜플(tuple)은 Python 프로그래밍 언어에서 매우 중요한 데이터 구조 중 하나다. 둘 다 데이터를 순차적으로 저장하는 컨테이너 타입이지만, 관리하는 데이터에 대한 변경 가능 여부에서 중요한 차이를 보인다. 리스트는 대괄호([])를 사용하여 데이터를 감싸고, 튜플은 소괄호(())를 사용한다. 가장 큰 차이점은 리스트는 그 내용을 변경할 수 있지만(즉, mutable한 성질을 가지고 있지만), 튜플은 한 번 생성되면 그 내용을 변경할 수 없다는 것이다(immutable한 성질).

이러한 차이점은 튜플이 프로그램 내에서 데이터가 변경되지 않아야 할 때 사용될 수 있도록 한다는 점에서 매우 중요하다. 예를 들어, 함수의 인자로 데이터를 전달할 때 변경되지 않도록 보장하고 싶을 때 튜플을 사용할 수 있다. 또한, 튜플은 리스트에 비해 상대적으로 공간 효율성과 처리 속도에서 이점을 가질 수 있다. 따라서, 데이터 집합이 프로그램 실행 동안 변경될 필요가 없다면 튜플 사용을 고려해볼 수 있다.

리스트는 동적 배열로 구현되어 있어, 데이터 추가 및 삭제가 자주 발생하는 시나리오에서 강점을 보인다. 이에 비해, 튜플은 상수 시간 내에 접근할 수 있는 불변의 순서 있는 시퀀스를 제공한다. 이러한 차이는 Python 프로그래밍을 할 때 자료구조 선택에 있어 중대한 고려 사항이 된다.

요약하자면, 리스트와 튜플의 가장 대표적인 차이점은 변경 가능성 여부로, 이는 각 데이터 구조의 사용 사례 및 효율성에 크게 기여한다. 리스트는 유연성이 높고, 데이터의 추가, 삭제 및 변경이 필요한 경우 용이하다. 반면, 튜플은 데이터의 불변성이 필요한 상황에서 유리하며, 메모리 사용량과 성능 최적화 측면에서 특정 상황에서 우위를 점할 수 있다.

매일 더 똑똑해지는 IT 교양서

ZERO TO ONE #1

『 23 』

다음 중 데드락(Deadlock) 발생 조건에 해당하지 않는 것은?

1. 상호 배제(Mutual Exclusion)

2. 순환 대기(Circular Wait)

3. 비선점(No Preemption)

4. 자원의 유한성(Finite Resources)

[정답]
4. 자원의 유한성(Finite Resources)

[해설]
데드락이 발생하기 위한 필수 조건들을 이해하는 것은 매우 중요하다. 데드락이란 여러 프로세스나 스레드가 서로가 가진 자원을 획득하길 기다리며 무한정 대기하는 상태를 가리키며, 이로 인해 아무런 작업도 진행할 수 없는 상태를 말한다. 데드락이 발생하기 위해 다음 네 가지 조건이 모두 만족되어야 한다:

1. 상호 배제(Mutual Exclusion): 한 시점에 하나의 프로세스만이 특정 자원을 사용할 수 있어야 한다. 이는 하나의 자원에 대해 여러 프로세스가 동시에 접근하는 것을 방지하기 위해 필요한 조건이다. 상호 배제가 없다면 데드락이 발생할 수 없다.

2. 비선점(No Preemption): 한 프로세스가 일단 자원을 할당받으면, 그 프로세스가 자원의 사용을 완료하고 명시적으로 방출하기 전까지는 다른 어떤 프로세스도 그 자원을 빼앗을 수 없어야 한다. 이 조건도 데드락 발생에 중요한 조건 중 하나이다.

3. 점유 및 대기(Hold and Wait): 최소한 하나의 자원을 점유하고 있으면서, 다른 자원을 추가로 얻기 위해 대기하고 있어야 한다. 이는 프로세스가 자원을 점유한 상태에서 다른 자원을 기

다리며, 이로 인해 다른 프로세스들이 자원을 사용할 수 없게 만드는 조건이다.

4. 순환 대기(Circular Wait): 프로세스 집합 {P1, P2, ..., Pn}에서 P1은 P2가 가진 자원을 대기하고, P2는 P3가 가진 자원을 대기하며, 이런 식으로 Pn은 P1이 가진 자원을 대기하는 순환적인 대기 상태가 있어야 한다. 이러한 순환적 대기가 발생하면, 아무도 진행할 수 없는 데드락 상태에 빠지게 된다.

반면, 자원의 유한성(Finite Resources)은 데드락 발생의 직접적인 조건은 아니다. 자원이 유한하다는 것은 실제 컴퓨터 시스템에서 흔히 있을 수 있는 상황이지만, 자원이 유한하더라도 앞서 설명된 네 가지 조건(상호 배제, 비선점, 점유 및 대기, 순환 대기)이 충족되지 않는다면 데드락은 발생하지 않는다. 따라서 자원의 유한성은 데드락 발생 조건에 해당하지 않는다.

이러한 이유로, 데드락 발생 조건은 상호 배제, 비선점, 점유 및 대기, 순환 대기의 네 가지로 요약할 수 있다.

매일 더 똑똑해지는 IT 교양서

ZERO TO ONE #1

『 24 』

빅 오 표기법에서, 다음 중 실행 시간이 시간 복잡도에 따라 가장 비효율적인 알고리즘은 무엇인가?

1. 머지 소트(Merge Sort): O(n log n)

2. 퀵 소트(Quick Sort): 평균 O(n log n), 최악 O(n^2)

3. 이진 검색(Binary Search): O(log n)

4. 피보나치 수열의 재귀적 계산 O(2^n)

[정답]
4. 피보나치 수열의 재귀적 계산

[해설]
빅 오 표기법(Big O Notation)은 알고리즘의 시간 복잡도나 공간 복잡도를 표현하는 데 사용되는 수학적 표현식이다. 이 표기법을 통해 알고리즘의 성능을 대략적으로 예측할 수 있다. 주어진 선택지들 중, 피보나치 수열의 재귀적 계산 방법은 O(2^n)의 시간 복잡도를 가진다. 이는 입력 크기 n에 대하여 계산 시간이 2의 n제곱에 비례하여 증가한다는 것을 의미한다. 이는 매우 빠르게 증가하는 비율로, 입력 크기가 커질수록 처리 시간이 기하급수적으로 증가한다.

반면, 머지 소트와 퀵 소트는 O(n log n)의 시간 복잡도를 가진다. 머지 소트는 분할 정복 알고리즘의 일종으로, 리스트를 반으로 나누고 각 부분을 정렬한 다음, 두 부분을 합치는 과정을 거친다. 퀵 소트 역시 분할 정복 기반의 알고리즘이며, 피벗을 기준으로 리스트를 두 부분으로 나눈 뒤 정렬하는 방식으로 진행된다. 퀵 소트는 평균적으로 O(n log n)의 시간 복잡도를 가지지만, 최악의 경우 선택된 피벗의 위치에 따라 O(n^2)의 시간 복잡도를 가질 수 있다.

이진 검색은 정렬된 리스트나 배열에서 특정 요소를 찾기 위한 알고리즘으로, O(log n)의 시간 복잡도를 가진다. 이는 리스트를 반으로 나누고, 찾고자 하는 값이 있는 쪽을 선택하여 다시 검색 범위를 반으로 줄이는 과정을 반복하는 방법이다. 이진 검색은 매 단계마다 검색 범위를 반으로 줄여 나가기 때문에 매우 효율적인 검색 방법 중 하나이다.

가장 비효율적인 시간 복잡도를 가진 알고리즘은 피보나치 수열의 재귀적 계산 방법이다. 피보나치 수열을 재귀적으로 계산하는 알고리즘은 각 단계마다 두 개의 재귀 호출을 수행하며, 이로 인해 호출 횟수가 매우 빠르게 증가한다. 따라서 컴퓨터 과학 분야에서는 이러한 방식의 시간 복잡도가 매우 비효율적으로 여겨진다. 그러나 동적 프로그래밍 방식을 사용하면 피보나치 수열을 효율적으로 계산할 수 있으며, 이 경우 시간 복잡도는 O(n)으로 줄일 수 있다.

매일 더 똑똑해지는 IT 교양서

ZERO TO ONE #1

『 25 』

다음 중 객체 지향 프로그래밍(OOP)에서 클래스와 인스턴스의 관계를 가장 정확히 설명하는 것은?

1. 클래스는 인스턴스의 특정 구현을 의미하며, 인스턴스는 이러한 구현을 다양화하는 메커니즘이다.

2. 클래스와 인스턴스는 동일한 개념이며, 용어만 다를 뿐이다.

3. 클래스는 인스턴스를 생성하기 위한 템플릿이며, 인스턴스는 이 클래스의 실제 구현체이다.

4. 인스턴스는 메모리에 할당되지 않은 클래스의 추상적인 설계도이며, 클래스는 메모리에 할당된 인스턴스의 실체이다.

[정답]

3. 클래스는 인스턴스를 생성하기 위한 템플릿이며, 인스턴스는 이 클래스의 실제 구현체이다.

[해설]

객체 지향 프로그래밍(OOP)에서 클래스와 인스턴스의 관계를 이해하는 것은 매우 중요하다. 클래스는 사실상 객체를 생성하기 위한 템플릿 또는 설계도로, 속성(데이터 필드)과 메서드(함수)로 구성된다. 이러한 클래스를 기반으로 객체가 생성될 때, 각 객체는 클래스의 인스턴스로 간주된다. 즉, 인스턴스는 클래스에 정의된 속성과 메서드를 실제 메모리 상에 할당받아 실제로 작동하는 개체이다.

예를 들어, '자동차' 클래스가 있다고 가정해 보자. 이 클래스에는 '색깔', '브랜드', '모델'과 같은 속성과 '가속', '정지'와 같은 메서드가 정의될 수 있다. 이 클래스를 사용하여 실제 자동차 객체를 생성하면, 그 객체는 '자동차' 클래스의 인스턴스가 된다. 각 인스턴스는 '자동차' 클래스에 정의된 속성과 메서드를 가지지만, 각 인스턴스의 속성 값(예: 색깔, 브랜드, 모델)은 서로 다를 수 있다. 이는 클래스가 일종의 일반적인 틀을 제공하고, 인스턴스가 이 틀을 통해 실제로 구현되는 구체적인 객체가 된다는 것을 의미한다.

선택지 1은 클래스와 인스턴스의 관계를 잘못 설명하고 있다. 클래스는 인스턴스의 구현을 의미하는 것이 아니며, 인스턴스는 클래스의 구현을 다양화하는 것이 아니다. 선택지 2는 클래스와 인스턴스를 동일한 개념으로 오해하고 있다. 실제로는 클래스가 템플릿이고 인스턴스가 실제 객체이다. 선택지 4는 클래스와 인스턴스의 관계를 반대로 이해하고 있다. 실제로는 클래스가 메모리에 할당되지 않은 추상적인 설계도이고, 인스턴스가 메모리에 할당된 실체이다.

따라서 정답은 3번, 클래스는 인스턴스를 생성하기 위한 템플릿이며, 인스턴스는 이 클래스의 실제 구현체라는 설명이 가장 정확하다.

매일 더 똑똑해지는 IT 교양서

ZERO TO ONE #1

『 26 』

다음 중 가장 효율적인 정렬 알고리즘은?

1. 버블 정렬

2. 선택 정렬

3. 퀵 정렬

4. 삽입 정렬

[정답]
3. 퀵 정렬

[해설]
정렬 알고리즘은 데이터를 특정한 순서로 배열하는 알고리즘을 말하며, 각 알고리즘은 시간 복잡도와 공간 복잡도가 다르다. 시간 복잡도는 알고리즘이 문제를 해결하는 데 걸리는 시간의 양에 대한 측정값이고, 공간 복잡도는 알고리즘이 문제를 해결하는 데 필요한 메모리 공간의 양에 대한 측정값이다.

1. 버블 정렬: 인접한 두 원소를 비교하여 정렬하는 방식으로, 매우 간단하지만 비효율적이다. 최악의 경우 시간 복잡도는 O(n^2)이다. 데이터의 양이 많을수록 비효율적이다.

2. 선택 정렬: 주어진 데이터 중 최소값을 찾아 맨 앞에 위치한 값과 교환하는 방식으로, 마찬가지로 비효율적이다. 최악의 경우 시간 복잡도는 O(n^2)이다.

3. 퀵 정렬: 분할 정복 알고리즘의 하나로, 평균적인 경우 시간 복잡도는 O(n log n)이다. '피벗'을 기준으로 데이터를 분할하고, 각각의 부분을 다시 정렬한다. 데이터의 분포에 따라 최악의 경우 시간 복잡도는 O(n^2)이 될 수 있으나, 평균적으로 가장 빠르게 동작한다.

4. 삽입 정렬: 각 숫자를 적절한 위치에 삽입하는 방식으로, 최악의 경우 시간 복잡도는 O(n^2)이다. 데이터가 거의 정렬된 상태라면 매우 효율적이다.

종합적으로 볼 때, 평균적인 상황에서 가장 효율적인 정렬 알고리즘은 퀵 정렬이다. 퀵 정렬은 다른 정렬 알고리즘에 비해 빠른 속도를 자랑하며, 실제로 많은 프로그래밍 언어의 정렬 함수에도 사용된다. 따라서 이 퀴즈의 정답은 3번, 퀵 정렬이다.

매일 더 똑똑해지는 IT 교양서

ZERO TO ONE #1

『 27 』

다음 중 인공지능 모델의 학습 방식에 대해 설명할 때 정확한 것 두 가지는 무엇인가?

1. 모든 인공지능은 지도학습 방식만을 사용한다.

2. 비지도 학습은 데이터의 레이블이 필요 없으며, 스스로 패턴을 찾아낸다.

3. 강화학습은 에이전트가 환경과 상호작용하며 받는 보상을 바탕으로 학습한다.

4. 전이학습은 기존 모델을 새로운 모델로 변환하는 과정이다.

[정답]
2. 비지도 학습은 데이터의 레이블이 필요 없으며, 스스로 패턴을 찾아낸다.

3. 강화학습은 에이전트가 환경과 상호작용하며 받는 보상을 바탕으로 학습한다.

[해설]
인공지능(AI) 모델의 학습 방식은 크게 지도학습, 비지도 학습, 강화학습, 전이학습으로 나눌 수 있다. 각 학습 방식은 특정 상황과 문제에 적합한 방법론을 제공한다.

- 지도학습: 입력 데이터와 그에 대응하는 정답(레이블)을 모델에 제공하여 학습시키는 방식이다. 이 방식은 분류(classification)나 회귀(regression) 문제에 주로 사용된다. 예를 들어, 사진에 담긴 동물이 고양이인지 개인지 분류하는 모델을 학습시킬 때, 각 사진에 '고양이' 또는 '개'라는 레이블을 붙여 모델이 정확한 예측을 할 수 있도록 한다.

- 비지도 학습: 데이터에 레이블이 붙어있지 않을 때 사용된다. 이 방식은 모델이 데이터 내의 패턴이나 구조를 스스로 찾아내도록 한다. 클러스터링(clustering)이 대표적인 예로, 비슷한 특성을 가진 데이터끼리 그룹화하는 작업을 말한다. 비지도 학습은

데이터의 숨겨진 특성을 발견하거나, 데이터를 더 잘 이해하는 데 도움을 준다.

- 강화학습: 에이전트가 환경과 상호작용하며, 시행착오를 통해 최적의 행동 전략을 학습하는 방식이다. 이 과정에서 에이전트는 수행한 행동에 대한 보상을 받으며, 이 보상을 최대화하는 방향으로 학습을 진행한다. 강화학습은 게임, 로봇 제어, 자원 관리 등 다양한 분야에 적용된다.

- 전이학습: 이미 학습된 모델의 지식을 새로운, 비슷한 문제에 적용하는 학습 방식이다. 예를 들어, 어떤 모델이 개와 고양이를 구분하는 데 학습되었다면, 이 모델의 일부를 재사용하여 야생 동물을 분류하는 모델을 만드는 것이다. 전이학습은 학습 시간을 단축하고, 적은 데이터로도 좋은 성능을 낼 수 있는 장점이 있다.

따라서, 1번과 4번은 정확한 설명이 아니다. 모든 인공지능이 지도학습만을 사용하는 것은 아니며, 전이학습은 기존 모델을 새로운 모델로 변환하는 과정이라기보다는 기존 모델의 지식을 새로운 문제에 재사용하는 방식이다. 이러한 전이학습은 특히 데이터가 부족하거나 훈련 시간을 단축시켜야 할 때 유용하게 사용된다. 이러한 방법을 통해, 모델은 이미 학습된 지식을 바탕으로 새로운 데이터셋에 대해 더 빠르고 효율적으로 학습할 수 있다.

매일 더 똑똑해지는 IT 교양서

ZERO TO ONE #1

『 28 』

다음 중 인터넷의 발전에 가장 큰 영향을 미친 프로토콜로서, 월드 와이드 웹(WWW)의 기반 기술이 아닌 것은 무엇인가?

1. HTTP(HyperText Transfer Protocol)

2. HTML(HyperText Markup Language)

3. FTP(File Transfer Protocol)

4. URL(Uniform Resource Locator)

[정답]
3. FTP (File Transfer Protocol)

[해설]
인터넷의 발전과 월드 와이드 웹(WWW)의 기반을 이해하기 위해서는 HTTP, HTML, URL, 그리고 FTP에 대한 이해가 필요하다.

HTTP(HyperText Transfer Protocol)는 웹에서 데이터를 주고받는 프로토콜로서, 웹의 핵심적인 기술 중 하나이다. 이 프로토콜을 통해 사용자는 웹 페이지를 요청하고 서버에서는 그 요청에 따라 웹 페이지를 사용자에게 전송한다. HTML(HyperText Markup Language)은 웹 페이지를 구성하는 기본적인 마크업 언어로, 웹 페이지의 구조와 내용을 정의한다. URL(Uniform Resource Locator)은 웹상의 자원의 위치를 나타내는 주소로, 사용자가 웹 브라우저에 입력하여 특정 웹 페이지나 파일에 접근할 수 있게 해준다.

반면, FTP(File Transfer Protocol)는 파일을 인터넷을 통해 전송하기 위한 표준 네트워크 프로토콜이다. FTP는 주로 파일을 전송하거나 파일 시스템을 조작하는 데 사용되며, 웹의 기반이 되는 기술은 아니다. FTP는 웹의 발전에 간접적으로 기여할 수는 있지만, HTTP, HTML, URL과 같이 웹 페이지의 요청, 전송, 표시에 직접적으로 관여하는 기술은 아니다. 따라서 월드 와이드 웹의 기반 기술로서 FTP는 다른 세 가지 옵션과 달리 직접적인 역할을 하지 않는다. 웹의 발전 과정에서 HTTP, HTML, URL은 웹 페이지의 구조, 접근 방식, 그리고 데이터 전송 방식을 정의하여 웹의 핵심적인 기능을 제공한다. 이러한 기술들은 웹의 상호작용성, 접근성, 그리고 확장성을 가능하게 하여 인터넷을 정보 공유의 전례 없는 플랫폼으로 변모시켰다.

매일 더 똑똑해지는 IT 교양서

ZERO TO ONE #1

『 29 』

월드 와이드 웹(World Wide Web, WWW)에 대한 설명으로 가장 정확한 것은 무엇인가?

1. 컴퓨터를 연결하는 물리적 네트워크 시스템이다.

2. 인터넷 상에서 정보를 공유하기 위한 하이퍼텍스트 기반의 정보 시스템이다.

3. 전자 메일을 주고받을 수 있는 인터넷 서비스이다.

4. 파일을 전송하는 프로토콜이다.

[정답]

2. 인터넷 상에서 정보를 공유하기 위한 하이퍼텍스트 기반의 정보 시스템이다.

[해설]

월드 와이드 웹(World Wide Web, WWW)은 1989년 팀 버너스 리(Tim Berners-Lee)에 의해 처음 제안되고 구현된 인터넷 상의 하이퍼텍스트 기반 정보 시스템이다. WWW는 인터넷과 동의어로 여겨지기도 하지만, 실제로는 인터넷 위에서 작동하는 서비스 중 하나이다. 인터넷은 전 세계 컴퓨터 네트워크들을 연결하는 거대한 네트워크이며, 이 네트워크 상에서 다양한 서비스들이 작동한다. WWW는 그 중에서도 사용자가 웹 브라우저를 통해 문서, 이미지, 비디오 등 다양한 형태의 정보에 접근할 수 있게 해주는 서비스이다.

WWW의 핵심 기술에는 HTML(HyperText Markup Language), URL(Uniform Resource Locator), 그리고 HTTP(HyperText Transfer Protocol)이 포함된다. HTML은 웹 페이지를 구성하는 마크업 언어로, 웹 페이지의 구조와 내용을 정의한다. URL은 인터넷 상의 자원이 위치한 주소를 나타내며, 사용자가 웹 페이지나 파일에 접근할 수 있게 해준다. HTTP는 웹 서버와 클라이언트 간의 데이터 교환을 위한 프로토콜이다.

1번 선택지는 인터넷을 묘사하는 것으로, WWW와는 구별된다. 3번은 이메일을 다루는 서비스로, WWW와는 다른 분야이다. 4번은 FTP(File Transfer Protocol)의 설명으로, 파일을 전송하는 데 사용되며 웹의 기본 구성 요소는 아니다.

WWW의 도입으로 정보의 공유와 접근성이 대폭 향상되었다. 사용자는 웹 브라우저를 통해 웹 페이지에 쉽게 접근할 수 있게 되었고, 하이퍼링크를 통해 관련된 정보로 손쉽게 이동할 수 있다. 이를 통해 정보의 검색과 활용이 획기적으로 개선되었으며, 교육, 비즈니스, 연구 등 다양한 분야에 긍정적인 영향을 미쳤다. 또한, 웹의 발전은 소셜 미디어, 온라인 쇼핑, 디지털 미디어의 확산 등 새로운 형태의 커뮤니케이션과 경제 활동을 가능하게 하였다. 오늘날 WWW는 우리 일상생활에서 빼놓을 수 없는 중요한 부분이 되었다.

매일 더 똑똑해지는 IT 교양서

ZERO TO ONE #1

『 30 』

다음 중 FTP와 SFTP의 차이점에 관한 내용 중 틀린 것은?

1. FTP는 데이터 전송 시 암호화를 제공하지 않지만, SFTP는 SSH 프로토콜을 사용하여 데이터를 암호화한다.

2. SFTP는 파일 전송뿐만 아니라 파일 시스템 작업을 지원하는 반면, FTP는 파일 전송 기능만을 제공한다.

3. FTP는 인터넷을 통한 파일 전송에 있어서 기본적인 프로토콜이며, SFTP는 FTP보다 느린 속도를 제공한다.

4. SFTP는 FTP보다 보안 측면에서 우수하지만, 둘 다 동일한 포트 번호를 사용한다.

[정답]

4. SFTP는 FTP보다 보안 측면에서 우수하지만, 둘 다 동일한 포트 번호를 사용한다.

[해설]

FTP(File Transfer Protocol)와 SFTP(SSH File Transfer Protocol)는 인터넷을 통한 파일 전송 방식에 있어서 중요한 차이점을 가지고 있다. FTP는 1971년에 개발된 오래된 프로토콜로, 사용자 인증 정보(사용자 이름과 비밀번호)와 데이터를 평문 형태로 전송한다. 이러한 특성 때문에 중간자 공격(man-in-the-middle attack)에 취약하여 보안 문제가 발생할 수 있다.

반면, SFTP는 SSH(보안 셸) 프로토콜을 기반으로 하여 파일을 전송한다. 이는 데이터와 사용자 인증 정보를 암호화하여 보낼 수 있기 때문에 보안 측면에서 FTP보다 훨씬 우수하다. 또한, SFTP는 파일 전송뿐만 아니라 파일 시스템 작업(파일 삭제, 이동, 이름 변경 등)을 원격으로 수행할 수 있는 기능을 제공한다.

4번 보기와 관련하여서, SFTP와 FTP는 사용하는 포트 번호가 다르다. FTP는 기본적으로 21번 포트를 사용하는 반면, SFTP는 SSH의 22번 포트를 사용한다. 따라서 4번이 틀린 설명이다.

속도 측면에서, 3번 항목에서 언급된 것처럼 SFTP가 FTP보다 느리다는 일반적인 주장이 있을 수 있으나, 이는 사용 환경과 네트워크 구성, 서버 성능에 따라 달라질 수 있다. 하지만 보안 기능을 추가하는 것이 일반적으로 처리 속도를 다소 느리게 할 수 있다는 점은 인정되어야 한다. 그럼에도 불구하고, SFTP의 보안 이점은 속도 저하를 상쇄할 만큼 중요하다.

매일 더 똑똑해지는 IT 교양서

ZERO TO ONE #1

『 31 』

다음 중 인터넷의 초기 발전에 가장 큰 영향을 미친 프로토콜은?

1. SMTP

2. HTTP

3. FTP

4. TCP/IP

[정답]
4. TCP/IP

[해설]
인터넷의 역사를 이해하는 데 있어 TCP/IP 프로토콜의 중요성을 간과할 수 없다. TCP/IP는 핵심 프로토콜이며 인터넷의 기본 통신 규약으로 자리 잡고 있다. TCP/IP는 Transmission Control Protocol(TCP)과 Internet Protocol(IP)로 구성되어 있으며, 이 두 프로토콜이 합쳐져서 인터넷에서 데이터를 안정적으로 전송하고, 다양한 네트워크 간에 통신을 가능하게 하는 기반을 제공한다.

TCP는 전송 제어 프로토콜로, 데이터가 목적지에 정확히 도달하도록 관리한다. 데이터 전송 과정에서의 오류를 검출하고, 손실된 데이터 패킷을 재전송하는 등의 역할을 한다. 이는 데이터가 신뢰성 있게 전송될 수 있도록 보장하는 중요한 기능이다. 반면에 IP는 인터넷 프로토콜로, 각각의 패킷이 올바른 목적지로 전달될 수 있도록 경로를 지정한다. IP 주소라는 고유한 식별자를 사용하여, 인터넷 상의 각 장치가 다른 장치와 통신할 수 있게 한다.

TCP/IP 프로토콜 스위트는 1980년대 초에 개발되어, 인터넷의 급속한 성장을 가능하게 했다. 이 프로토콜은 다양한 네트워크 환경에서의 호환성을 제공하며, 서로 다른 기술과 플랫폼을 사용하는 네트워크 간의 통신을 가능하게 한다. 이로 인해 인터넷은 전 세계적으로 확장될 수 있었고, 다양한 정보와 서비스가 전 세계 사용자에게 제공될 수 있게 되었다.

SMTP, HTTP, FTP 같은 다른 프로토콜들도 인터넷의 발전에 기여했지만, 이들은 모두 TCP/IP 위에서 작동한다. 예를 들어, SMTP(Simple Mail Transfer Protocol)는 이메일 전송에 사용되며, HTTP(Hypertext Transfer Protocol)는 웹 페이지를 브라우저에 로드하는 데 사용된다. FTP(File Transfer Protocol)는 파일 전송에 사용된다. 이러한 프로토콜들은 특정 유형의 데이터 전송을 담당하지만, 모든 데이터 통신의 기반은 TCP/IP에 있다.

결론적으로, TCP/IP는 인터넷의 기본적인 통신 메커니즘을 제공하며, 인터넷의 초기 발전과 글로벌 네트워크로의 확장에 결정적인 역할을 했다. 따라서 인터넷의 초기 발전에 가장 큰 영향을 미친 프로토콜로 TCP/IP를 꼽을 수 있다.

매일 더 똑똑해지는 IT 교양서

ZERO TO ONE #1

『 32 』

CSS에서 width 속성과 offsetWidth 속성을 사용할 때 어떤 상황에서 보안상 문제가 발생할 수 있을까?

1. offsetWidth 속성으로 페이지의 레이아웃 변경을 감지할 때

2. width 속성을 CSS 파일에서 정적으로 설정할 때

3. offsetWidth가 CSS 애니메이션에 사용될 때

4. width 속성을 사용하여 요소의 크기를 조절할 때

[정답]

1. offsetWidth 속성으로 페이지의 레이아웃 변경을 감지할 때

[해설]

CSS에서 width와 offsetWidth는 요소의 너비를 다루지만, 사용 방식과 제공하는 정보의 종류에서 차이가 있다. width는 주로 CSS를 통해 요소의 너비를 지정하는 데 사용되며, 이는 스타일링 목적으로 사용된다. 반면, offsetWidth는 요소의 시각적 너비를 포함하여, 해당 요소의 전체적인 외부 크기를 픽셀 단위로 반환한다. 여기에는 패딩, 스크롤 바(해당되는 경우), 그리고 테두리의 너비가 모두 포함되지만, 마진은 포함되지 않는다.

보안상 문제는 주로 offsetWidth를 사용하여 사용자의 환경이나 행동을 미묘하게 추적할 수 있는 경우에 발생한다. 예를 들어, 웹사이트가 offsetWidth를 사용하여 방문자의 브라우저 창 크기의 변화를 감지하고, 이를 통해 사용자가 다른 탭을 열었는지 아니면 특정 행동을 했는지와 같은 정보를 추론할 수 있다. 이러한 방식으로 사용자의 행동을 추적하고 분석함으로써, 사용자의 사생활을 침해할 수 있는 정보를 수집하는 것이다.

이는 사용자에게 명시적인 동의 없이 개인 정보를 수집하는 행위로 간주될 수 있으며, GDPR 같은 개인정보 관련 규제를 위반할 수도 있다. 또한, 이런 방식으로 수집된 정보는 공격자에 의해

사용될 경우, 사용자를 대상으로 한 피싱 공격이나 사회공학 공격의 가능성을 증가시킬 수 있다.

따라서, 웹 개발자는 사용자의 동의 없이 민감한 정보를 수집하는 것을 피하고, 사용자의 프라이버시를 존중하는 방식으로 웹사이트를 설계해야 한다. 또한, offsetWidth 같은 속성을 사용할 때는 항상 사용자의 사생활 보호와 데이터 보호 규정을 염두에 두어야 한다. 이러한 이유로, offsetWidth를 사용하여 페이지의 레이아웃 변경을 감지하는 것은 보안상 문제를 일으킬 수 있는 경우로 볼 수 있다.

매일 더 똑똑해지는 IT 교양서

ZERO TO ONE #1

『 33 』

자바스크립트가 브라우저 외부에서 관여할 수 있는 경우는 어떤 상황일까?

1. 웹 페이지의 DOM을 조작할 때

2. 서버 사이드 스크립트로 Node.js를 사용할 때

3. CSS 스타일을 동적으로 변경할 때

4. HTML 웹페이지를 초기 로드할 때

[정답]
2. 서버 사이드 스크립트로 Node.js를 사용할 때

[해설]
자바스크립트는 원래 웹 브라우저에서 동작하는 스크립트 언어로 개발되었다. 그러나 시간이 지남에 따라 자바스크립트의 사용 범위는 웹 브라우저를 넘어서게 되었다. 특히, Node.js의 등장은 자바스크립트가 서버 사이드 언어로 사용될 수 있는 길을 열었으며, 이를 통해 자바스크립트는 브라우저 밖에서도 다양한 방식으로 관여할 수 있게 되었다.

1번과 3번, 4번 옵션은 모두 웹 브라우저 내에서의 자바스크립트 활용 사례를 나타낸다. 웹 페이지의 DOM(문서 객체 모델) 조작, CSS 스타일의 동적 변경, HTML 웹 페이지의 초기 로드는 모두 브라우저 내에서 이루어지는 작업들이다. 이러한 작업들은 자바스크립트가 웹 페이지와 상호작용하기 위해 사용되는 전형적인 사례들이지만, 브라우저 밖에서의 활용성을 보여주는 것은 아니다.

반면에, 2번 옵션인 '서버 사이드 스크립트로 Node.js를 사용할 때'는 자바스크립트가 웹 브라우저 외부, 즉 서버 측에서 실행될 수 있음을 보여준다. Node.js는 자바스크립트를 서버 사이드에서 실행하기 위한 크로스 플랫폼 런타임 환경으로, 웹 서버 개발부터 API 서버, 실시간 데이터 처리 애플리케이션에 이르기까지 다

양한 서버 사이드 애플리케이션 개발에 사용된다. Node.js의 등장으로 개발자들은 클라이언트 사이드 뿐만 아니라 서버 사이드에서도 자바스크립트를 통일된 언어로 사용할 수 있게 되었으며, 이는 웹 개발의 생산성과 유연성을 크게 향상시켰다.

이러한 배경을 바탕으로, 자바스크립트가 브라우저 밖에서 관여할 수 있는 주요 사례로는 서버 사이드 프로그래밍, 커맨드 라인 도구 개발, 데스크톱 애플리케이션 개발, IoT(사물인터넷) 디바이스 프로그래밍 등이 있다. 특히 Node.js와 같은 기술의 활용은 자바스크립트의 사용 범위를 대폭 확장시켜, 자바스크립트가 단순한 웹 스크립트 언어를 넘어서 다양한 컴퓨팅 환경에서 사용될 수 있는 강력한 프로그래밍 언어가 되었다.

매일 더 똑똑해지는 IT 교양서

ZERO TO ONE #1

『 34 』

자바스크립트나 CSS를 이용하여 사용자를 식별하기 위해 일반적으로 사용되는 기법은?

1. 사용자의 화면 해상도와 브라우저 창 크기를 조합하여 고유한 지문을 생성한다.

2. 사용자의 IP 주소와 User-Agent를 결합하여 식별한다.

3. CSS의 `:hover` 상태를 이용해 사용자의 마우스 움직임을 추적한다.

4. 자바스크립트를 이용해 사용자의 타이핑 속도와 패턴을 분석한다.

[정답]

1. 사용자의 화면 해상도와 브라우저 창 크기를 조합하여 고유한 지문을 생성한다.

[해설]

현대의 웹 개발 및 보안 분야에서 사용자를 식별하는 방법은 다양하다. 그 중에서도 사용자의 브라우저나 디바이스에서 얻을 수 있는 정보를 기반으로 한 방법이 특히 주목받고 있다. 이러한 방법들 중 하나가 바로 사용자의 화면 해상도와 브라우저 창 크기를 조합하여 고유한 '디지털 지문(digital fingerprint)'을 생성하는 것이다. 이 기법은 단순히 사용자가 방문하는 웹사이트에 대한 정보만을 수집하는 것이 아니라, 해당 사용자의 디바이스에 대한 고유한 정보를 추출하여 식별하는 방식이다.

이 방법이 효과적인 이유는, 대부분의 사용자가 웹을 탐색할 때 자신의 화면 해상도나 브라우저 창의 크기를 고의로 변경하지 않기 때문이다. 따라서, 이 두 가지 정보의 조합은 각 사용자에게 고유할 가능성이 매우 높으며, 이를 통해 사용자를 효과적으로 식별할 수 있다. 또한, 이러한 정보는 사용자의 개인정보와 직접적인 연관이 없기 때문에 개인정보 보호 측면에서도 비교적 안전한 방법으로 평가받고 있다.

그러나, 이 방법에도 몇 가지 단점이 있다. 예를 들어, 사용자가 브라우저의 창 크기를 자주 변경하거나, 다양한 디바이스를 사용하는 경우 이 방법의 정확도가 다소 떨어질 수 있다. 또한, 일부 웹 브라우저는 사용자의 프라이버시를 보호하기 위해 이러한 정보의 수집을 제한할 수도 있다.

이와 대비하여, 사용자의 IP 주소와 User-Agent를 결합하여 식별하는 방법(2번)은 네트워크 수준에서의 식별에 더 초점을 맞추고 있으나, IP 주소의 동적 할당이나 VPN 사용 등으로 인해 신뢰성이 떨어질 수 있다. CSS의 :hover 상태를 이용한 방법(3번)은 사용자 인터랙션에 기반한 식별 방법으로 특이하지만 이를 통해 얻을 수 있는 정보는 매우 제한적이다. 마지막으로, JavaScript를 이용해 사용자의 타이핑 속도와 패턴을 분석하는 방법(4번)은 행동 바이오메트릭스(Behavioral Biometrics) 분야에서 연구되고 있으나, 이는 특정한 상황에서만 유용할 수 있고, 일반적인 웹 사용 상황에서 사용자를 식별하는 주된 수단으로는 적합하지 않다.

결론적으로, 사용자의 화면 해상도와 브라우저 창 크기 등을 조합한 디지털 지문 생성 방법은 현재 기술 상황에서 사용자를 식별하는 가장 효과적인 방법 중 하나로 평가받고 있다. 이 기법은 사용자의 디바이스에서 얻을 수 있는 고유한 정보를 활용하여, 비교적 높은 정확도로 개별 사용자를 식별할 수 있는 장점을 가지고 있다. 그러나, 이 방법의 효율성과 정확도를 최대화하기 위해서는 사용자의 디바이스 사용 패턴 및 웹 브라우저의 기술적 특성을 충분히 이해해야 한다.

『 35 』

블록체인 기술의 핵심 원리 중 하나는 변경 불변성(Immutability)입니다. 이 원리를 보장하기 위해 블록체인은 어떤 알고리즘을 주로 활용할까?

1. 대칭키 암호화

2. 비대칭키 암호화

3. 해시 함수

4. 선형 회귀 분석

[정답]
3. 해시 함수

[해설]
블록체인 기술의 핵심 원리 중 하나인 변경 불변성은 블록체인이 기록된 데이터의 무결성과 보안을 보장하는 데 필수적인 요소이다. 이 원리는 블록체인에 저장된 정보가 한 번 기록되면 수정, 삭제, 변경이 불가능하다는 것을 의미한다. 블록체인이 이러한 변경 불가능성을 보장하는 데에는 '해시 함수'라는 알고리즘이 핵심적으로 사용된다.

해시 함수는 임의 길이의 데이터를 입력받아 고정된 길이의 데이터로 변환하는 함수이다. 이 함수는 '일방향성'의 특성을 가지고 있어서, 출력값으로부터 원래의 입력값을 찾아내는 것이 계산상 불가능하거나 매우 어렵다. 블록체인에서는 각 블록에 대한 정보를 해시 함수를 통해 해시값으로 변환하고, 이 해시값들을 이전 블록의 해시값과 연결하여 체인을 구성한다.

이 과정에서 만약 블록체인의 어떤 블록의 데이터가 변경되면, 해당 블록의 해시값 뿐만 아니라 그 이후의 모든 블록의 해시값이 연쇄적으로 변하게 된다. 이는 블록체인 네트워크의 모든 참여자들에게 즉각적으로 탐지될 수 있으므로, 데이터의 무결성이 유지된다. 이러한 메커니즘은 블록체인이 공공 거래장부(public ledger)의 역할을 효과적으로 수행할 수 있게 하며, 해킹이나 조작 시도로부터 네트워크를 보호한다.

대칭키 암호화와 비대칭키 암호화는 정보를 안전하게 암호화하고 복호화하는 메커니즘을 제공하지만, 블록체인의 변경 불변성을 직접적으로 보장하는 데 사용되는 기술은 아니다. 선형 회귀 분석은 데이터 사이의 관계를 모델링하는 통계적 방법으로, 블록체인 기술과는 관련이 없다. 따라서 블록체인의 불변성을 보장하는 핵심 알고리즘은 해시 함수이다.

매일 더 똑똑해지는 IT 교양서

ZERO TO ONE #1

『 36 』

선형 회귀 분석은, 두 변수가 선형적인 관련성이 있다는 전제를 바탕으로 둘의 관계를 선형 함수식으로 모형화하는 분석 방법이다. 이 분석에서 가장 중요하게 고려되어야 할 요소는?

1. 데이터의 크기

2. 변수들 사이의 상관관계

3. 독립 변수의 수

4. 데이터의 분포 형태

[정답]
2. 변수들 사이의 상관관계

[해설]
선형 회귀 분석은 통계학에서 매우 중요한 위치를 차지하고 있으며, 특히 기계 학습과 데이터 과학 분야에서 널리 활용된다. 선형 회귀의 목적은 한 변수(종속 변수)와 하나 이상의 다른 변수(독립 변수) 사이의 관계를 모델링하는 것이다. 이러한 관계를 통해 예측이나 추론이 가능해진다.

선형 회귀 분석에서 가장 중요하게 고려되어야 할 요소는 '변수들 사이의 상관관계'이다. 상관관계는 두 변수 사이의 선형적 관계의 강도를 나타내며, 이는 선형 회귀 모델의 성능에 직접적인 영향을 미친다. 상관관계가 강한 변수들을 모델에 포함시킬수록, 모델의 예측 정확도는 높아진다. 반면, 상관관계가 약하거나 없는 변수들은 모델의 성능을 저하시킬 수 있다.

다른 중요한 요소로는 데이터의 크기, 독립 변수의 수, 데이터의 분포 형태 등이 있다. 데이터의 크기는 충분한 양의 데이터가 있을 때 모델의 정확도를 높일 수 있지만, 상관관계가 약한 변수들로 구성된 많은 양의 데이터는 도움이 되지 않는다. 독립 변수의 수는 모델의 복잡성을 증가시킬 수 있으나, 이는 과적합(overfitting)의 위험을 수반하며, 반드시 모델의 성능을 향상시키는 것은 아니다. 마지막으로 데이터의 분포 형태는 선형 회귀 분석의 가정 중 하나로, 변수들 간의 선형 관계를 가정하는 것과 관련이 있으나, 이는 변수들 사이의 상관관계의 중요성에 비해 상대적으로 덜 중요하다.

결론적으로, 선형 회귀 모델을 구축할 때 변수들 사이의 상관관계를 주의 깊게 분석하고 고려하는 것이 매우 중요하다. 이를 통해 모델의 성능을 최적화하고, 보다 정확한 예측을 할 수 있다.

매일 더 똑똑해지는 IT 교양서

ZERO TO ONE #1

#『 37 』

알고리즘과 메커니즘의 차이에 대해 설명 중 틀린 것은?

1. 알고리즘은 문제를 해결하기 위한 단계적 절차를 의미하며, 메커니즘은 그러한 절차가 구현되는 방식을 포함한다.

2. 메커니즘은 주로 장치나 프로세스의 작동 원리를 설명할 때 사용되며, 알고리즘은 주로 컴퓨터 프로그램이나 수학적 문제 해결 방법을 설명할 때 사용된다.

3. 알고리즘은 반드시 명확한 종료 조건을 가지고 있어야 하지만, 메커니즘은 그러한 제약이 없다.

4. 메커니즘은 알고리즘보다 일반적인 개념이며, 모든 알고리즘은 메커니즘의 한 예시로 볼 수 있다.

[정답]

4. 메커니즘은 알고리즘보다 일반적인 개념이며, 모든 알고리즘은 메커니즘의 한 예시로 볼 수 있다.

[해설]

알고리즘과 메커니즘은 자주 혼동되는 개념이지만, 둘 사이에는 분명한 차이가 있다. 알고리즘은 문제를 해결하기 위한 구체적이고 명확한 단계적 절차를 의미한다. 이러한 절차는 컴퓨터 프로그램을 작성하거나 수학적 문제를 해결하는 데 사용된다. 알고리즘의 핵심적인 특징 중 하나는 반드시 종료 조건을 포함한다는 점이다. 즉, 알고리즘은 어떤 문제를 해결하기 위해 정해진 단계를 따라가면서, 그 과정이 언젠가는 끝나야 한다. 이러한 종료 조건의 존재는 알고리즘을 설계하고 분석할 때 매우 중요한 요소이다.

반면에, 메커니즘은 물리적 장치나 시스템, 또는 프로세스의 작동 원리를 설명하는 데 사용되며 보다 일반적인 용어이다. 메커니즘은 특정한 문제 해결 절차를 의미하는 것이 아니라, 어떠한 시스템이나 장치가 어떻게 작동하는지를 설명하는 개념이다. 따라서, 메커니즘은 알고리즘보다 넓은 범위의 현상이나 원리를 포괄하는 용어로 볼 수 있다.

정답 4번에서 주장하는 "메커니즘은 알고리즘보다 일반적인 개념이며, 모든 알고리즘은 메커니즘의 한 예시로 볼 수 있다"는 설명은 부정확하다. 실제로, 알고리즘과 메커니즘은 서로 다른 개념이며, 특히 알고리즘은 문제 해결을 위한 명확한 절차를 의미하는 반면, 메커니즘은 작동 원리나 방식을 설명하는 데 초점을 맞춘다. 알고리즘은 특정한 종류의 메커니즘일 수는 있지만, 모든 메커니즘이 알고리즘이라고 할 수는 없다. 따라서, 이 두 용어는 각각의 고유한 의미와 적용 범위를 가지며, 혼동하지 않도록 주의해야 한다. 이러한 차이점을 이해하는 것은 IT 및 보안 분야에서 문제를 분석하고 해결하는 데 중요한 기초 지식을 제공한다.

매일 더 똑똑해지는 IT 교양서

ZERO TO ONE #1

『 38 』

다익스트라 알고리즘에 대한 가장 정확한 설명은 무엇인가?

1. 모든 간선의 가중치가 음수일 때 가장 효율적으로 작동한다.

2. 시작 노드로부터 다른 모든 노드까지의 최단 경로를 찾는 데 사용된다.

3. 그래프에 사이클이 있으면 정상적으로 작동하지 않는다.

4. 최단 경로를 찾을 때 깊이 우선 탐색(DFS) 방식을 사용한다.

[정답]

2. 시작 노드로부터 다른 모든 노드까지의 최단 경로를 찾는 데 사용된다.

[해설]

다익스트라 알고리즘은 그래프에서 한 노드로부터 다른 모든 노드까지의 최단 경로를 찾기 위해 고안된 알고리즘이다. 이 알고리즘은 가중치가 있는 그래프에서 사용될 수 있으며, 가중치는 길이, 시간, 비용 등을 나타낼 수 있다. 다익스트라 알고리즘의 핵심 아이디어는 "탐욕적인 방법(greedy method)"을 사용하는 것이다. 즉, 매 단계에서 최소 비용을 갖는 노드를 선택하고, 그 노드를 통해 다른 노드로 가는 비용을 갱신하는 방식으로 진행된다.

이 알고리즘은 먼저 시작 노드에서의 거리를 0으로 설정하고, 다른 모든 노드의 거리는 무한대로 설정한다. 이후, 시작 노드에 인접한 노드들의 거리를 업데이트하고, 그 중 최단 거리를 갖는 노드를 확정한다. 확정된 노드를 통해 다시 인접한 노드들의 거리를 업데이트하며, 이 과정을 모든 노드가 확정될 때까지 반복한다.

1번 선택지에서 언급한 "모든 간선의 가중치가 음수일 때"는 다익스트라 알고리즘의 사용 조건에 부합하지 않는다. 다익스트라 알고리즘은 모든 가중치가 양수일 때 정상적으로 작동한다. 음수 가중치가 포함된 그래프에서는 벨만-포드 알고리즘 같은 다른 알고리즘을 사용해야 한다.

3번 선택지에서 언급한 "그래프에 사이클이 있으면 정상적으로 작동하지 않는다"는 부정확하다. 다익스트라 알고리즘은 그래프에 사이클이 있어도 잘 작동한다. 중요한 것은 가중치가 모두 양수라는 조건을 만족하는 것이다.

4번 선택지의 "깊이 우선 탐색(DFS)"는 다익스트라 알고리즘과 관련이 없다. 다익스트라 알고리즘은 '우선순위 큐'를 사용하여 각 단계에서 가장 짧은 거리를 갖는 노드를 효율적으로 찾아내는 방법을 사용한다.

결론적으로, 다익스트라 알고리즘은 시작 노드로부터 다른 모든 노드까지의 최단 경로를 찾는 데 사용되며, 이는 본 퀴즈의 2번 선택지가 가장 정확한 설명이다. 이 알고리즘은 컴퓨터 네트워크, 지도 서비스, 로봇 공학 등 다양한 분야에서 응용된다.

매일 더 똑똑해지는 IT 교양서

ZERO TO ONE #1

『 39 』

다익스트라 알고리즘과 관련하여 보안 이슈가 발생할 수 있는 시나리오는 무엇일까요?

1. 알고리즘이 너무 빨라서 시스템이 과부하될 위험이 있다.

2. 알고리즘이 네트워크 내의 모든 경로를 저장하기 때문에, 외부로부터의 데이터 유출 가능성이 있다.

3. 알고리즘에 의해 계산된 최단 경로가 실제 네트워크 상황을 반영하지 못할 때

4. 알고리즘이 특정 입력에 대해 예측 가능한 출력을 생성하여, 악의적 사용자가 시스템을 조작할 수 있는 가능성이 있다.

[정답]

4. 알고리즘이 특정 입력에 대해 예측 가능한 출력을 생성하여, 악의적 사용자가 시스템을 조작할 수 있는 가능성이 있다.

[해설]

다익스트라 알고리즘은 그래프 내에서 한 노드로부터 다른 모든 노드까지의 최단 거리를 찾는 데 사용된다. 이 알고리즘은 네트워크 경로 계획, 지도에서 경로 찾기 등 다양한 분야에서 활용된다. 물론, 이 알고리즘은 매우 효율적이고 신뢰할 수 있는 도구이지만, 모든 알고리즘과 마찬가지로 특정 상황에서 보안 관련 이슈가 발생할 수 있다.

옵션 1과 관련하여, 다익스트라 알고리즘의 실행 속도가 시스템 과부하를 일으킬 가능성은 낮다. 알고리즘의 효율성은 오히려 시스템 리소스를 절약하는 데 기여한다.

옵션 2는 다익스트라 알고리즘이 모든 경로를 저장한다고 언급하지만, 이는 정확하지 않다. 다익스트라 알고리즘은 최단 거리를 계산할 때 필요한 정보만을 사용하며, 네트워크의 모든 경로 정보를 저장하지 않는다. 따라서 데이터 유출의 직접적인 원인이 되지 않는다.

옵션 3은 알고리즘이 실제 네트워크 상황을 반영하지 못할 때의 문제를 언급하지만, 이는 보안 이슈라기보다는 알고리즘의 적용성과 관련된 문제이다.

옵션 4는 다익스트라 알고리즘이 특정 입력에 대해 예측 가능한 출력을 생성할 수 있으며, 이러한 특성이 악의적인 사용자에 의해 시스템 조작의 가능성을 열어줄 수 있다고 지적한다. 실제로, 알고리즘의 예측 가능성은 보안 관점에서 중요한 고려 대상이다. 예를 들어, 네트워크 트래픽 경로 결정에 다익스트라 알고리즘이 사용된다면, 악의적인 사용자는 이 알고리즘의 동작 방식을 이해하고 특정 노드로 트래픽을 유도하는 등의 조작을 시도할 수 있다. 이러한 시나리오에서는 네트워크의 특정 부분이 의도치 않은 트래픽으로 과부하될 수 있으며, 이는 서비스 거부(DoS) 공격으로 이어질 수 있다.

따라서, 다익스트라 알고리즘과 관련된 보안 이슈 중 가장 실질적인 위험은 알고리즘의 예측 가능성을 악용하는 것이다. 이러한 이유로 옵션 4가 가장 정확한 답변이 된다. 보안 전문가는 이러한 위험을 인지하고, 알고리즘의 사용 환경을 보호하기 위한 추가적인 조치를 고려해야 한다. 예를 들어, 네트워크 상의 중요한 결정 로직에 다양성을 부여하거나, 예측 가능한 패턴을 방지하기 위해 추가적인 무작위성을 도입하는 방법 등이 있다. 이러한 조치들은 알고리즘의 기본 원리를 변경하지 않으면서도, 보안 상의 취약점을 줄일 수 있는 효과적인 방법이다.

매일 더 똑똑해지는 IT 교양서

ZERO TO ONE #1

『 40 』

알고리즘을 모두에게 공개하는 것이 오히려 보안성 향상에 도움이 되는 경우는 어떤 상황일까?

1. 알고리즘이 너무 복잡해서 아무도 이해할 수 없을 때

2. 알고리즘을 많은 전문가가 검증할 수 있어서

3. 알고리즘이 공개되어도 사용자의 비밀번호가 노출될 위험이 없을 때

4. 알고리즘이 공개되면 해커들이 쉽게 공격할 수 있어서

[정답]
2. 알고리즘을 많은 전문가가 검증할 수 있어서

[해설]
보안 분야에서 알고리즘의 공개는 매우 중요한 의미를 가진다. 일반적으로 사람들은 알고리즘을 비밀로 하는 것이 보안을 강화하는 데 도움이 될 것이라고 생각할 수 있다. 그러나 실제로는 정반대의 경우도 있다. 보안 알고리즘의 공개는 그 알고리즘을 더욱 강력하게 만드는 데 중요한 역할을 한다.

알고리즘이 공개되면 전 세계의 수많은 보안 전문가와 암호학자들이 해당 알고리즘을 검토하고 분석할 수 있다. 이 과정에서 알고리즘의 취약점이 발견될 수 있으며, 이를 통해 취약점을 수정하고 알고리즘을 개선할 수 있다. 이러한 과정은 알고리즘이 비공개일 경우에는 불가능하다. 비공개 알고리즘은 제한된 인원만이 검증할 수 있으므로, 잠재적인 취약점을 간과할 가능성이 높다.

또한, 공개 알고리즘은 다양한 환경과 상황에서 광범위하게 테스트되며, 이는 알고리즘의 안정성과 호환성을 높이는 데 기여한다. 예를 들어, 현재 널리 사용되고 있는 암호화 표준인 AES(Advanced Encryption Standard)는 공개적인 경쟁을 통해 선정되었으며, 그 과정에서 수많은 전문가의 검증을 거쳤다. 이러한 공개적인 검증 과정 덕분에 AES는 매우 높은 보안성을 자랑한다.

공개 알고리즘이 해커들에게 공격 대상이 될 수 있다는 우려도 있지만, 실제로는 공개 알고리즘의 보안성이 더 높다고 평가받는다. 보안 알고리즘의 강도는 비밀에 의해 결정되는 것이 아니라, 알고리즘 자체의 내구성에 의해 결정된다. 따라서 알고리즘을 공개함으로써 얻을 수 있는 장점은 그것이 비밀로 유지될 때보다 훨씬 크다. 결론적으로, 알고리즘의 공개는 커뮤니티 구성원의 지성이 그 알고리즘을 더욱 안전하게 만들기에 보안성이 향상될 수 있다.

매일 더 똑똑해지는 IT 교양서

ZERO TO ONE #1

『 41 』

안전한 알고리즘 설계에 관한 내용 중 틀린 것은 무엇인가?

1. 최소 권한 원칙을 따라야 한다.

2. 알고리즘은 가능한 한 단순해야 한다.

3. 보안을 강화하기 위해 가능한 많은 데이터를 수집해야 한다.

4. 공개된 알고리즘을 사용해야 한다.

[정답]
3. 보안을 강화하기 위해 가능한 많은 데이터를 수집해야 한다.

[해설]
안전한 알고리즘을 설계하기 위한 원칙들은 소프트웨어 개발과 보안 분야에서 매우 중요하다. 이 원칙들은 알고리즘과 시스템이 보안 위협으로부터 보호될 수 있도록 돕는다.

첫 번째 원칙인 최소 권한 원칙은 시스템이 작동하는 데 필요한 최소한의 권한만 부여해야 한다는 것을 의미한다. 이 원칙은 불필요한 접근 권한이 없으면 시스템이 보안 위협에 덜 취약해진다는 생각에 기반한다.

두 번째 원칙은 알고리즘의 단순성이다. 복잡한 알고리즘은 이해하기 어렵고, 그로 인해 발생할 수 있는 보안 취약점을 찾아내기도 어렵다. 따라서, 알고리즘은 가능한 한 단순하게 유지되어야 하며, 이는 유지보수와 보안 감사가 용이해지도록 한다.

세 번째 선택지는 잘못된 원칙을 제시한다. 보안을 강화하기 위해 가능한 많은 데이터를 수집해야 한다는 주장은 사실과 다르다. 데이터 최소화 원칙은 필요한 최소한의 데이터만을 수집하고 처리해야 한다고 강조한다. 과도한 데이터 수집은 개인정보 보호 문제를 야기할 뿐만 아니라, 더 많은 데이터가 공격자에게 유용한 정보로 사용될 수 있기 때문에 보안 위험을 증가시킨다.

마지막으로, 공개된 알고리즘을 사용해야 한다는 원칙은 매우 중요하다. 공개된 알고리즘은 전 세계의 전문가들에 의해 검증되고 테스트된다. 이러한 공개 검증 과정은 알고리즘의 보안 취약점을 발견하고 수정하는 데 도움을 준다. 반면, 비공개 알고리즘은 이러한 공개적인 검증 과정을 거치지 않으므로 잠재적인 보안 취약점을 내포할 가능성이 높다.

이러한 원칙들은 알고리즘이 보안 위협으로부터 안전하게 보호될 수 있도록 하는 데 필수적인 요소이다. 특히, 데이터 최소화 원칙은 개인정보 보호와 보안 강화 모두에 있어서 중요한 원칙이다. 따라서, 보안을 강화하기 위해 가능한 많은 데이터를 수집해야 한다는 주장은 이 원칙에 어긋나며, 잘못된 설계 원칙으로 간주된다.

매일 더 똑똑해지는 IT 교양서

ZERO TO ONE #1

『 42 』

'최소 권한 원칙'에 대해 잘못 설명한 것은 무엇일까요?

1. 사용자는 시스템에서 필요한 최소한의 권한만을 가지고 작업을 수행해야 한다.

2. 최소 권한 원칙은 시스템의 보안을 강화하는 데 도움이 될 뿐, 시스템의 효율성을 높이는 데는 기여하지 않는다.

3. 최소 권한 원칙을 적용하면, 사용자가 실수로 중요한 시스템 설정을 변경하는 것을 방지할 수 있다.

4. 시스템 관리자도 최소 권한 원칙을 따라야 하며, 필요할 때만 높은 권한을 사용해야 한다.

[정답]

2. 최소 권한 원칙은 시스템의 보안을 강화하는 데 도움이 될 뿐, 시스템의 효율성을 높이는 데는 기여하지 않는다.

[해설]

컴퓨터 보안에서 '최소 권한 원칙(Principle of Least Privilege, PoLP)'이란 사용자나 프로그램이 자신의 업무를 수행하는 데 반드시 필요한 최소한의 권한만을 가지고 있어야 한다는 원칙을 말한다. 이 원칙은 시스템의 보안을 강화하는 데 중요한 역할을 한다. 예를 들어, 사용자가 실수로 중요한 시스템 설정을 변경하거나, 악성 소프트웨어가 시스템에 침투했을 때, 가지고 있는 권한이 제한적이면 피해의 범위를 최소화할 수 있다.

오답인 2번 항목에서 최소 권한 원칙이 시스템의 효율성을 높이는 데 기여하지 않는다고 설명한 것은 잘못된 정보이다. 사실 최소 권한 원칙은 시스템의 효율성을 높이는 데도 기여할 수 있다. 사용자나 프로그램이 필요 이상의 권한을 가지고 있지 않게 함으로써, 시스템 자원의 낭비를 줄이고, 불필요한 작업을 방지할 수 있기 때문이다. 또한, 불필요한 권한 요구가 줄어들면서 시스템의 전반적인 관리가 더욱 용이해질 수 있다.

시스템 관리자도 예외는 아니다. 실제로 많은 보안 사고가 시스템 관리자의 고권한 계정이 해킹당함으로써 발생한다. 따라서 관리자 역시 일상적인 업무에는 일반 사용자 수준의 권한을 사용하고, 필요할 때만 고급 권한을 활성화하는 것이 바람직하다. 이런 방식으로 최소 권한 원칙을 적용하면, 시스템 전체의 보안 수준을 한층 더 높일 수 있다.

최소 권한 원칙의 적절한 적용은 사용자와 시스템 관리자 모두에게 중요한 책임이다. 사용자는 자신의 업무를 수행하는 데 필요한 권한에 대해 정확히 이해하고, 관리자는 시스템의 각 사용자와 프로그램이 필요한 최소한의 권한만을 가질 수 있도록 관리해야 한다. 이렇게 함으로써, 시스템의 보안을 강화하고, 효율성을 높이며, 잠재적인 보안 위협으로부터 시스템을 보호할 수 있다.

매일 더 똑똑해지는 IT 교양서

ZERO TO ONE #1

『 43 』

아래 보기 중 보안을 강화하면서 시스템 성능도 함께 고려하는 경우는 무엇인가?

1. 비밀번호 복잡도를 높이기

2. 소프트웨어 기반의 방화벽을 추가로 설치하기

3. 하드웨어 기반의 보안 모듈을 추가 도입하기

4. 사용자 인증 절차를 더 복잡하게 변경하기

[정답]
3. 하드웨어 기반의 보안 모듈을 추가 도입하기

[해설]
보안 강화 조치는 추가적인 계산이나 절차를 요구하여 시스템의 성능에 부담을 줄 수 있다. 예를 들어, 비밀번호 복잡도를 높이거나, 사용자 인증 절차를 더 복잡하게 변경하는 것은 보안을 향상시킬 수 있지만, 이러한 조치들은 사용자의 접근 시간이나 처리 시간을 증가시킬 수 있다. 소프트웨어 기반의 방화벽을 추가로 설치하는 것도 보안을 향상시킬 수 있지만 추가적인 CPU 리소스를 소모하여 시스템 성능에 영향을 줄 수 있다.

그러나 하드웨어 기반의 보안 모듈을 추가 도입하는 경우는 보안과 성능 모두를 만족시킬 수 있는 예외적인 경우이다. 하드웨어 기반의 보안 모듈, 예를 들어 하드웨어 보안 모듈(HSM)이나 특수 보안 칩 등은 암호화 처리 같은 보안 관련 작업을 특화된 하드웨어에서 처리함으로써, 소프트웨어만을 사용할 때보다 더 빠르고 효율적으로 작업을 수행할 수 있다. 이는 시스템의 전반적인 성능을 저하시키지 않으면서 보안을 강화할 수 있게 해준다.

따라서, 보안을 강화하면서 동시에 시스템 성능을 향상시키고자 할 때, 하드웨어 기반의 보안 모듈을 추가 도입하는 것은 효과적인 방법이 될 수 있다.

『 44 』

시스템의 복잡도와 관련하여 다음 중 올바른 설명은 무엇인가?

1. 복잡한 시스템은 해커가 이해하기 어렵기 때문에 안전하다.

2. 복잡도가 높은 시스템은 보안 취약점이 더 많으므로 해킹 위험이 증가한다.

3. 시스템의 복잡도와 보안 강도는 서로 관련이 없다.

4. 최신 기술을 사용하는 복잡한 시스템은 안전하다.

[정답]

2. 복잡도가 높은 시스템은 보안 취약점이 더 많으므로 해킹 위험이 증가한다.

[해설]

어떤 사람은 시스템이 복잡할수록 더 안전하다고 생각하는 경우도 있다. 하지만 이는 정확한 이해가 아니다. 사실, 시스템의 복잡도가 높아질수록 보안 취약점이 더 많아질 수 있다. 이는 복잡한 시스템이 더 많은 코드와 구성 요소를 포함하고, 각각의 구성 요소는 잠재적인 취약점이 될 수 있기 때문이다. 또한, 시스템이 복잡해질수록 그 시스템을 완벽하게 이해하고 관리하는 것이 더 어려워지며, 이에 따라 보안과 관련된 실수가 발생하거나 대강 넘겨짚는 경우가 증가하게 된다.

예를 들어, 하나의 복잡한 소프트웨어 시스템이 여러 개의 서로 다른 기능을 가지고 있다고 가정해 보자. 각 기능은 다른 코드 블록으로 구성되어 있고, 이러한 다양성은 해커들이 공격할 수 있는 다양한 경로를 제공한다. 한두 개의 취약점만 발견되어도 전체 시스템의 보안이 위협받을 수 있다.

또한, 복잡한 시스템은 보안 팀에게도 큰 도전이 된다. 보안 팀은 모든 구성 요소를 정확히 이해하고 모니터링해야 하며, 새로운 보안 위협에 신속하게 대응할 수 있어야 한다. 하지만 복잡성이 증가함에 따라 이러한 작업은 점점 더 어려워진다.

이러한 이유로, 많은 보안 전문가는 최소 권한 원칙(Principle of Least Privilege)이나 단순성(Simplicity)을 보안의 핵심 원칙으로 강조한다. 이 원칙들은 시스템을 가능한 한 단순하게 유지하고, 필요한 최소한의 권한만을 부여함으로써 보안을 강화하는 데 도움이 된다.

결론적으로, 시스템의 복잡도가 높아질수록 보안을 유지하기가 더 어려워진다. 따라서 시스템 설계 시 단순성을 유지하려는 노력이 매우 중요하며, 복잡한 시스템을 관리할 때는 보안 측면에서 특별한 주의가 필요하다. 복잡한 시스템이 더 많은 기능과 편의성을 제공할 수는 있지만, 그만큼 보안에 대한 고려와 노력도 함께 증가해야 한다는 점을 기억해야 한다.

매일 더 똑똑해지는 IT 교양서

ZERO TO ONE #1

『 45 』

다음 중 메모리 누수를 방지하는 방법으로 가장 적절한 것은 무엇일까요?

1. 사용하지 않는 변수를 가능한 많이 선언한다.

2. 프로그램을 종료할 때 모든 파일을 닫지 않는다.

3. 반복문 안에서 대량의 데이터를 처리할 때는 변수의 재사용을 최소화한다.

4. 사용이 끝난 객체를 null로 설정하여 참조를 제거한다.

[정답]
4. 사용이 끝난 객체를 null로 설정하여 참조를 제거한다.

[해설]
메모리 누수(memory leak)는 프로그램이 사용했던 메모리를 필요 없게 되었을 때 제대로 반환하지 않아 점점 사용 가능한 메모리 양이 줄어드는 현상을 말한다. 이는 시간이 지날수록 시스템의 성능을 저하시키고, 최악의 경우 프로그램이나 시스템이 정상적으로 작동하지 못하게 만들 수 있다. 메모리 누수를 방지하는 방법은 여러 가지가 있지만 몇 가지 기본적인 방법을 알아보자.

첫째, 불필요한 변수 선언을 피해야 한다. 프로그램에서 사용하지 않는 변수를 선언하는 것은 메모리를 낭비하는 일이다. 특히, 큰 데이터를 다루는 변수의 경우 더욱 그렇다. 따라서, 필요한 변수만 선언하고, 사용하지 않게 된 변수는 가능한 빨리 메모리에서 해제해야 한다.

둘째, 프로그램이 종료될 때 모든 자원을 정확히 해제하는 것이 중요하다. 파일이나 네트워크 연결 등 외부 자원을 사용하는 경우, 프로그램 종료 시 명시적으로 연결을 닫거나 자원을 해제해 주어야 한다. 그렇지 않으면 메모리 누수가 발생할 수 있다.

셋째, 반복문에서는 가능한 한 변수를 재사용해야 한다. 특히,

대량의 데이터를 처리해야 하는 경우, 반복문 내에서 새로운 객체나 변수를 계속 생성하면 그만큼 메모리 사용량이 증가한다. 따라서, 반복적인 작업에서는 변수를 재사용함으로써 메모리 사용을 최소화하는 것이 좋다.

마지막으로, 사용이 끝난 객체의 참조를 제거하는 것이다. 자바와 같은 언어에서 가비지 컬렉션(garbage collection)이 메모리 관리를 자동으로 도와주지만, 모든 상황을 완벽히 처리하지는 못한다. 프로그래머가 명시적으로 객체의 참조를 null로 설정하면, 그 객체는 더 이상 사용되지 않는 것으로 판단되어 가비지 컬렉터에 의해 메모리에서 해제될 수 있다. 이 방법은 특히, 메모리 사용량이 많은 대형 객체를 다뤄야 할 때 중요하다.

이처럼 메모리 누수를 방지하기 위해서는 프로그램의 생명주기 동안 메모리 사용에 주의를 기울이고, 필요하지 않게 된 자원을 적절히 해제하는 습관을 들이는 것이 중요하다. 이러한 기본적인 원칙을 지키면서 프로그래밍을 하면, 메모리 누수로 인한 문제를 크게 줄일 수 있다.

매일 더 똑똑해지는 IT 교양서

ZERO TO ONE #1

『 46 』

다음 중 가비지 컬렉션(Garbage Collection)을 항상 신뢰할 수만은 없는 이유 중 틀린 것은 무엇인가?

1. 가비지 컬렉션은 즉각적으로 메모리를 회수하지 않기도 한다.

2. 가비지 컬렉션은 객체가 더 이상 필요 없다는 것을 잘못 판단할 수 있다.

3. 가비지 컬렉션은 메모리 누수를 완벽하게 방지하지 못할 수 있다.

4. 가비지 컬렉션은 주기적으로 시스템을 재부팅해야 작동한다.

[정답]
4. 가비지 컬렉션은 주기적으로 시스템을 재부팅해야 작동한다.

[해설]
가비지 컬렉션(Garbage Collection, GC)은 프로그래밍 언어에서 더 이상 사용되지 않는 객체를 자동으로 메모리에서 해제하는 메커니즘이다. 이는 프로그래머가 직접 메모리를 관리하지 않아도 되어 편리하지만, 가비지 컬렉션을 항상 믿을 수 없는 이유가 있다. 이러한 이유들을 차례로 살펴본다.

첫째, 가비지 컬렉션은 즉각적으로 메모리를 회수하지 않을 수 있다. 가비지 컬렉션은 주기적으로 실행되며, 이는 즉시 실행되지 않을 수 있음을 의미한다. 예를 들어, 메모리 사용량이 급격히 증가하면 GC가 즉각적으로 개입해 메모리를 해제해야 할 수도 있지만, GC가 실행되는 주기에 따라서는 메모리 회수가 지연될 수 있다. 이로 인해 일시적인 메모리 부족 상태가 발생할 수 있다. 이 문제는 메모리 관리의 자동화로 인해 발생하는 일반적인 문제 중 하나다.

둘째, 가비지 컬렉션은 객체가 더 이상 필요 없다는 것을 잘못 판단할 수 있다. 이는 주로 "메모리 누수"와 관련이 있다. 메모리 누수는 사용되지 않는 메모리가 해제되지 않는 경우를 말한다. GC가 어떤 객체가 더 이상 사용되지 않는다고 판단하는 기준이 잘못되면, 필요 없는 메모리를 계속 점유하게 된다. 예를 들어, 여전히 참조되고 있는 객체라면 GC는 이를 해제하지 않는다. 하지만 이 참조가 실질적으로 의미 없는 경우에도 메모리는 해제되지 않는다. 이 경우 프로그래머가 명시적으로 메모리를 해제해야 할 필요가 생긴다.

셋째, 가비지 컬렉션은 메모리 누수를 완벽하게 방지하지 못할 수 있다. 메모리 누수는 프로그래머가 코드에서 실수로 더 이상 필요 없는 메모리를 해제하지 않아서 발생한다. GC는 자동으로 메모리를 관리하지만, 프로그래머가 모든 참조를 올바르게 관리하지 않으면 메모리 누수가 발생할 수 있다. 예를 들어, 객체가 더 이상 필요 없더라도 프로그래머가 해당 객체를 참조하는 변수를 해제하지 않으면, GC는 이를 여전히 사용 중인 것으로 판단하고 메모리를 해제하지 않는다. 이로 인해 메모리가 점차 고갈될 수 있다.

반면, 네 번째 항목인 "가비지 컬렉션은 주기적으로 시스템을 재부팅해야 작동한다"는 가비지 컬렉션과 관련이 없다. 가비지 컬렉션은 운영 체제나 애플리케이션이 실행되는 동안 주기적으로 작동하는 메커니즘이다. 시스템을 재부팅할 필요가 없으며, 이는 가비지 컬렉션의 작동 방식과는 전혀 관련이 없다. 이 항목은 가비지 컬렉션에 대한 오해에서 비롯된 잘못된 정보다.

가비지 컬렉션은 프로그래머의 메모리 관리 부담을 줄여주는 중요한 기능이지만, 그 한계로 인해 항상 믿을 수만은 없다. 가비지 컬렉션의 작동 원리와 한계를 이해하고, 필요한 경우 직접 메모리 관리를 해야 메모리 누수와 같은 문제를 방지할 수 있다.

『 47 』

가비지 컬렉션(Garbage Collection, GC)이 정보보안과는 어떤 관련이 있을까?

1. GC는 사용하지 않는 메모리를 자동으로 정리하므로 메모리 누수로 인한 보안 취약점을 줄인다.

2. GC는 암호화된 데이터를 자동으로 복호화하여 보안성을 강화한다.

3. GC는 네트워크 트래픽을 분석하여 악성 코드를 차단한다.

4. GC는 사용자의 로그인 정보를 자동으로 삭제하여 계정 도용을 방지한다.

[정답]

1. GC는 사용하지 않는 메모리를 자동으로 정리하므로 메모리 누수로 인한 보안 취약점을 줄인다.

[해설]

가비지 컬렉션(Garbage Collection, GC)은 프로그래밍에서 중요한 역할을 하는 기능이다. GC의 주된 목적은 프로그램이 동작하는 동안 사용되지 않는 메모리를 자동으로 해제하여 메모리 누수를 방지하는 것이다. 그렇다면 GC가 정보보안과는 어떤 관련이 있을까.

우선, 메모리 누수(memory leak)가 무엇인지 이해해야 한다. 메모리 누수는 프로그램이 더 이상 필요로 하지 않는 메모리를 해제하지 않고 계속 차지하고 있는 상태를 의미한다. 이런 누수는 메모리가 점점 부족해지게 만들고, 결국 시스템 성능 저하를 초래할 수 있다. 더 중요한 점은 메모리 누수가 보안 취약점을 유발할 수 있다는 것이다.

메모리 누수로 인해 발생할 수 있는 보안 문제는 여러 가지가 있다. 예를 들어, 메모리 누수가 지속되면 시스템이 불안정해지고, 이를 악용하는 공격자가 시스템을 고의로 정지시키는 등의 공격을 시도할 수 있다. 공격자는 메모리 누수를 통해 민감한 정보를 추출하거나, 시스템의 다른 약점을 발견할 가능성도 높아진다.

가비지 컬렉션은 이러한 메모리 누수를 효과적으로 방지한다. GC가 주기적으로 사용되지 않는 메모리를 해제해줌으로써 시스템의 안정성을 유지할 수 있다. 이는 보안 측면에서 매우 중요한데, 시스템이 안정적으로 동작하면 외부 공격자가 악용할 수 있는 취약점이 줄어들기 때문이다. 또한, 가비지 컬렉션은 메모리 정리를 자동으로 수행하므로 개발자의 실수로 인한 메모리 누수를 방지할 수 있다. 보안 취약점 중 많은 부분이 개발자의 실수나 부주의로 인해 발생하는데, GC는 이러한 실수를 줄여줌으로써 보안성을 향상시킨다.

물론, GC가 만능 해결책은 아니다. 특정 상황에서는 GC가 제때 동작하지 않거나, 메모리 정리 과정에서 성능 저하를 일으킬 수 있다. 하지만, 이러한 단점을 감안하더라도, GC가 제공하는 자동 메모리 관리 기능은 보안에 큰 기여를 한다.

GC의 또 다른 보안 관련 측면은 민감한 정보의 처리이다. 프로그램이 민감한 데이터를 메모리에 저장하는 경우, GC는 사용이 끝난 데이터가 포함된 메모리를 정리할 수 있다. 이는 데이터 유출의 위험을 줄여주는 중요한 역할을 한다. 물론, 민감한 데이터를 다루는 경우에는 추가적인 보안 조치가 필요하지만, GC는 기본적인 방어선을 제공해준다.

결론적으로, 가비지 컬렉션은 정보보안과 밀접한 관련이 있다.

GC가 메모리 누수를 방지함으로써 시스템의 안정성을 높이고, 민감한 데이터가 포함된 메모리를 자동으로 정리하여 보안성을 강화한다. 이러한 이유로 GC는 현대 프로그래밍에서 매우 중요한 기능이며, 보안 측면에서도 큰 역할을 하고 있다.

『 48 』

가용성(Availability)과 보안성(Security)이 서로 영향을 미치는 상황에 대한 설명으로 가장 적절한 것은?

1. 가용성과 보안성은 전혀 관련이 없어서 둘 다 높은 수준으로 유지할 수 있다.

2. 보안성을 높이기 위해 가용성을 낮추면, 시스템에 대한 접근이 어려워진다.

3. 가용성을 높이기 위해 보안성을 낮추면, 시스템이 공격에 취약해진다.

4. 가용성을 높이는 것과 보안성을 높이는 것은 동일한 방법으로 가능하다.

[정답]

3. 가용성을 높이기 위해 보안성을 낮추면, 시스템이 공격에 취약해진다.

[해설]

가용성과 보안성은 정보 시스템에서 중요한 두 가지 속성으로, 서로 밀접한 관계가 있다. 가용성은 사용자가 언제든지 시스템에 접근할 수 있도록 하는 능력을 의미하고, 보안성은 시스템과 데이터를 보호하여 무단 접근이나 공격으로부터 안전하게 유지하는 능력을 뜻한다. 이 두 가지 속성은 서로 상충하는 경향이 있어, 하나를 높이면 다른 하나가 저하될 수 있다.

보안성을 높이기 위해 다양한 보안 조치를 강화하면, 접근 제어, 인증 과정, 데이터 암호화 등의 절차가 복잡해져서 사용자가 시스템에 접근하기 어려워질 수 있다. 예를 들어, 아주 강력한 비밀번호 정책이나 이중 인증 시스템을 도입하면 보안성은 높아지지만 사용자가 시스템에 접근하는 데 시간이 더 걸릴 수 있다. 이는 보안성을 높이는 조치가 가용성을 낮추는 결과를 초래한다는 것을 의미한다.

반면, 가용성을 높이기 위해 보안성을 낮추는 경우, 시스템은 더 많은 사용자에게 쉽게 접근할 수 있도록 개방적이 되지만, 그만큼 보안 취약점이 늘어나게 된다. 예를 들어, 네트워크 방화벽의

규칙을 완화하거나 인증 절차를 간소화하면 사용자가 시스템에 더 빠르게 접근할 수 있지만, 동시에 해커나 악성 코드에 의해 침해당할 가능성도 커진다. 이는 가용성을 높이기 위해 보안성을 낮추면 시스템이 공격에 취약해질 수 있다는 것을 보여준다.

실제 사례로는 Distributed Denial of Service(DDoS) 공격을 들 수 있다. DDoS 공격은 서버의 가용성을 떨어뜨리기 위해 많은 양의 트래픽을 발생시키는 공격으로, 이를 방어하기 위해 네트워크의 접근을 제한하거나 필터링하는 방법을 사용할 수 있다. 하지만 이러한 방어 조치는 정상 사용자의 접근에도 영향을 미쳐 가용성을 저하할 수 있다. 따라서 보안성을 높이기 위한 조치가 결과적으로 가용성을 낮추는 상황이 발생한다.

IT 전문가들은 이러한 딜레마를 해결하기 위해 균형을 맞추는 전략을 세운다. 예를 들어, 중요한 데이터와 일반 데이터를 구분하여 접근 제어를 차별화하거나, 사용자에게 보안 교육을 실시하여 보안 인식을 높이면서도 불필요한 보안 조치를 최소화하는 방법을 사용한다. 또한, 보안성과 가용성을 동시에 높일 수 있는 기술적 방안으로는 자동화된 위협 탐지 시스템이나 인공지능 기반의 보안 솔루션이 있다. 이러한 기술들은 실시간으로 보안 위협을 탐지하고 대응하여 보안성을 유지하면서도 사용자의 접근성을 보장한다.

결론적으로, 가용성과 보안성은 상호 배타적이기보다는 상호 보완적이어야 한다. 시스템 설계 시 두 속성을 균형 있게 고려하여, 사용자가 안전하게 시스템을 이용할 수 있도록 하는 것이 중요하다. 이를 위해서는 보안성과 가용성의 균형을 맞추는 전략적 접근이 필요하며, 이를 통해 시스템의 신뢰성과 효율성을 높일 수 있다.

『 49 』

방화벽 없이 DDoS 공격을 대응하는 방법 중 적합하지 않은 것은 무엇인가?

1. 트래픽 모니터링을 통해 비정상적인 트래픽을 감지하고 차단한다.

2. DNS 라운드 로빈을 통해 트래픽을 여러 서버로 분산시킨다.

3. CDN(Content Delivery Network)을 사용하여 트래픽을 분산시킨다.

4. 서버에 최대한 많은 트래픽을 받아들이도록 설정한다.

[정답]
4. 서버에 최대한 많은 트래픽을 받아들이도록 설정한다.

[해설]
DDoS(Denial of Service) 공격은 특정 서버나 네트워크에 과도한 트래픽을 유발하여 정상적인 서비스 제공을 방해하는 공격이다. 방화벽 없이 DDoS 공격을 대응하는 방법 중에는 다양한 전략이 있지만, 각 방법은 서로 보완적이며 절대적 효과가 있는 것은 아니다. 각 보기를 차례대로 살펴보자.

1. 트래픽 모니터링은 네트워크 관리자에게 비정상적인 트래픽 패턴을 실시간으로 확인할 수 있게 해준다. DDoS 공격을 받으면 평소보다 많은 양의 트래픽이 발생하기 때문에, 이를 신속하게 감지하여 차단하는 것이 중요하다. 비정상적인 트래픽을 차단하면 정상적인 트래픽이 서버에 도달할 수 있도록 보호할 수 있다. 이 방법은 실제로 많은 IT 전문가들이 사용하는 기본 대응책이다.

2. DNS 라운드 로빈은 하나의 도메인 이름에 여러 개의 IP 주소를 할당하여, 요청을 분산시켜 처리하는 방식이다. 이는 여러 서버에 트래픽을 나누어 주므로, 특정 서버에 트래픽이 집중되는 것을 방지할 수 있다. 여러 서버로 분산되면 각 서버가 처리해야 할 트래픽의 양이 줄어들어, DDoS 공격의 영향이 최소화된다.

이 방법은 부하 분산 기법 중 하나로 널리 사용된다.

3. CDN은 전 세계에 분산된 서버 네트워크를 통해 콘텐츠를 제공하는 방식이다. 사용자가 가까운 CDN 서버에서 콘텐츠를 받아가기 때문에, 서버의 부하가 줄어들고 응답 속도가 빨라진다. DDoS 공격이 발생할 경우, CDN을 사용하면 공격 트래픽이 여러 CDN 서버로 분산되어 개별 서버에 가해지는 부하를 줄일 수 있다. CDN은 특히 웹사이트의 이미지, 동영상 등 정적 콘텐츠를 효율적으로 제공하는 데 유용하다.

4. 서버에 최대한 많은 트래픽을 받아들이도록 설정하는 방법은 실질적으로 DDoS 공격에 대응하는 데 적합하지 않다. 서버에 최대한 많은 트래픽을 받아들이도록 설정하면, 공격 트래픽이 서버 자원을 빠르게 소모하게 되어, 서버가 다운될 가능성이 높아진다. 많은 트래픽을 처리하기 위해 서버의 용량을 무작정 늘리는 것은 근본적인 해결책이 아니다. 이는 서버의 안정성과 가용성을 유지하는 데 오히려 역효과를 낼 수 있다.

트래픽 분산은 네트워크나 서버에 들어오는 트래픽을 여러 경로로 나누어 처리하는 방법이다. 이를 통해 각 서버나 네트워크가 감당해야 할 트래픽의 양을 줄이는 방향이며, 서비스의 안정성을 유지하는 데 도움이 된다. 반면, 트래픽을 최대한 받아들이도록 설정하는 것은 들어오는 모든 트래픽을 처리하는 것을 지향하므로, 서버의 자원을 빠르게 소모하는 방향이며 적합한 대응이 아니다. 이는 서버의 다운타임을 초래할 수 있으며, DDoS 공격의 목표인 서비스 방해를 달성하게 한다.

따라서, 방화벽 없이 DDoS 공격을 대응하는 방법 중 "서버에 최대한 많은 트래픽을 받아들이도록 설정하는 것"은 부적합하다. 적절한 대응은 트래픽을 효과적으로 분산시키고, 비정상적인 트래픽을 실시간으로 감지하여 차단하는 전략이다.

『 50 』

아래의 보기 중 디지털 포렌식과 가장 관련 있는 것은?

1. 해킹을 막기 위한 예방 조치

2. 침해 사고 이후의 증거 수집

3. 소프트웨어 개발 과정의 버그 수정

4. 인터넷 속도 개선

[정답]
2. 침해 사고 이후의 증거 수집

[해설]
포렌식은 컴퓨터나 네트워크 시스템에서 발생한 침해 사고 이후, 해당 사건에 대한 증거를 수집하고 분석하는 과정이다. 여기서 중요한 점은 포렌식 활동이 주로 사후 처리에 초점을 맞춘다는 것이다. 즉, 사건이 발생한 후에 이를 조사하여 필요한 정보를 수집하고, 이를 통해 문제의 원인을 규명하거나 책임 소재를 파악하는 데 사용된다.

해킹은 시스템이나 네트워크에 불법적으로 접근하여 정보를 훔치거나 시스템을 손상시키는 활동을 말한다. 따라서 포렌식은 해킹 사건이 일어난 후에 해커가 남긴 흔적을 찾아내고, 해킹이 어떤 방식으로 이루어졌는지를 분석하는 데 중요한 역할을 한다. 이러한 과정을 통해 얻어진 증거는 법적 절차에서 중요한 역할을 할 수 있으며, 해킹의 피해를 최소화하고 재발 방지를 위한 보안 강화 방안을 마련하는 데에도 도움을 준다.

포렌식이란 용어는 원래 법의학에서 유래된 것으로, 법적 절차에서 증거를 수집하고 분석하는 과정을 의미한다. 컴퓨터 포렌식도 마찬가지로, 디지털 기기에서 데이터를 복구하고 분석하여 법적 증거로 사용하는 것을 포함한다. 이 과정은 매우 정교하고 철저하게 이루어져야 하며, 수집된 증거는 법원에서 사용될 수 있도록 신뢰성이 보장되어야 한다.

침해 사고가 발생하면 포렌식 전문가들은 먼저 사고 현장을 보존하고, 가능한 한 데이터를 그대로 유지하려고 한다. 그런 다음, 데이터를 복사하여 원본 데이터를 손상시키지 않도록 한다. 이를 통해 복제된 데이터에서 필요한 정보를 추출하고 분석하게 된다. 이러한 분석 과정에서는 다양한 도구와 기술이 사용되며, 데이터의 무결성을 유지하기 위한 다양한 절차가 엄격히 지켜진다.

포렌식 과정은 크게 세 단계로 나눌 수 있다. 첫 번째 단계는 데이터 수집 단계로, 여기서는 가능한 한 많은 증거를 수집한다. 두 번째 단계는 데이터 분석 단계로, 수집된 데이터를 분석하여 사건의 원인을 규명하고, 해커의 행적을 추적한다. 마지막 단계는 보고서 작성 단계로, 분석 결과를 정리하여 사건의 전말을 기록한다.

따라서 포렌식은 해킹과 직접적으로 관련이 있지만 그 목적과 역할은 해킹 자체와는 다르다. 해킹은 주로 특정 시스템에 접근을 시도하는 반면, 포렌식은 그러한 불법 행위가 발생한 후에 그 흔적을 찾아내고, 이를 바탕으로 사건을 해결하는 데 중점을 둔다.

이렇게 포렌식은 그 자체가 해킹 행위는 아니다. 오히려 해킹의 피해를 최소화하고, 법적 대응을 위해 필요한 증거를 확보하는 중요한 과정이다. 이 때문에 포렌식은 IT 보안 분야에서 매우 중요한 역할을 하고 있으며, 침해 사고에 대응하기 위한 필수적인 기술로 자리 잡고 있다.

『 51 』

IT 업계에서 줄임말을 사용하는 것은 흔하다. 예를 들어 'i18n' 과 'k8s'와 같은 용어들은 자주 쓰인다. 당신은 새로운 프로젝트 매니저로서 팀원들과의 원활한 소통을 위해 이 줄임말들의 풀 네임을 알아야 한다. 다음 중 'i18n'의 풀 네임은 무엇인가?

1. Internet Protocol version 8

2. Internationalization

3. Internet of Things

4. Kubernetes

[정답]

2. Internationalization

[해설]

'i18n'은 'Internationalization'의 줄임말이다. 이 용어는 소프트웨어 개발에서 매우 중요한 개념이다. 국제화(internationalization)는 소프트웨어를 다양한 언어와 지역에서 사용할 수 있도록 준비하는 과정이다. 'i18n'에서 'i'는 단어의 첫 글자이고, 'n'은 마지막 글자이며, 그 사이에 18개의 글자가 있다는 것을 의미한다. 이 방식은 줄임말을 짧고 기억하기 쉽게 만든다.

예를 들어, 어떤 소프트웨어를 여러 나라에서 사용하려면 각 나라의 언어, 날짜 형식, 통화 단위 등을 지원해야 한다. 이를 위해 개발자는 소프트웨어를 국제화해야 한다. 국제화 작업에는 텍스트를 다른 언어로 번역할 수 있게 준비하고, 지역별 설정에 맞추어 동작하도록 소프트웨어를 수정하는 것이 포함된다.

반면, 'k8s'는 'Kubernetes'의 줄임말이다. 'k8s'는 'K'와 's' 사이에 8개의 글자가 있어서 이렇게 줄여 부른다. Kubernetes는 컨테이너화된 애플리케이션을 자동으로 배포, 스케일링 및 관리하는 오픈 소스 시스템이다. 이 시스템은 구글에서 처음 개발했으며, 현재는 다양한 IT 환경에서 널리 사용되고 있다.

'Internet Protocol version 8'과 'Internet of Things'는 각각 줄임말이 'IPv8'과 'IoT'이다. 'i18n'과는 관련이 없다.

정리하자면, IT 용어의 줄임말을 잘 이해하는 것은 의사소통을 위해 필요하다. 특히 국제화와 관련된 작업을 요할 때 'i18n'이라는 용어를 접할 수 있다. 이 개념을 정확히 이해하고 있으면 프로젝트 관리나 소프트웨어 개발에 도움이 된다. 이는 단순히 용어를 아는 것뿐만 아니라, 그 용어가 지닌 의미와 중요성을 인식하는 것이기도 하다.

매일 더 똑똑해지는 IT 교양서

ZERO TO ONE #1

『 52 』

IPv6가 개발되었고 사용할 수 있음에도 불구하고 여전히 IPv4를 더 많이 사용하는 이유는?

1. IPv6는 보안상 문제가 많기 때문이다.

2. 대부분의 네트워크 장비와 소프트웨어가 IPv4를 기본으로 설계되었기 때문이다.

3. IPv6는 속도가 느리기 때문이다.

4. IPv4 주소 공간이 무제한이기 때문이다.

[정답]

2. 대부분의 네트워크 장비와 소프트웨어가 IPv4를 기본으로 설계되었기 때문이다.

[해설]

IPv6가 등장한 지 꽤 되었지만 여전히 많은 네트워크에서 IPv4를 사용하고 있는 이유는 몇 가지가 있다. 그중에서도 가장 중요한 이유는 대부분의 네트워크 장비와 소프트웨어가 여전히 IPv4를 기본으로 설계되었기 때문이다. 이를 이해하기 위해서는 먼저 IPv4와 IPv6의 차이점, 그리고 IPv6로의 전환이 어려운 이유를 알아보는 것이 좋다.

IPv4는 1980년대 초반에 처음 도입된 인터넷 프로토콜이다. 32비트 주소 체계를 사용하여 약 43억 개의 고유한 주소를 제공한다. 하지만 인터넷 사용자가 폭발적으로 증가하면서 이 주소 공간이 빠르게 소진되었다. 이를 해결하기 위해 개발된 것이 바로 IPv6이다. IPv6는 128비트 주소 체계를 사용하여 사실상 무한에 가까운 주소를 제공한다.

그럼에도 불구하고 IPv6가 IPv4를 완전히 대체하지 못한 이유는 여러 가지가 있다. 첫째, 기존 네트워크 인프라와의 호환성 문제이다. 현재 사용 중인 많은 네트워크 장비와 소프트웨어는 IPv4를 기반으로 설계되었다. 이를 모두 교체하거나 업데이트하는 것은 매우 비용이 많이 들고 시간이 오래 걸리는 작업이다. 많은 기업이나 기관에서는 이 비용과 시간을 감당하기 어렵기 때문에 여전히 IPv4를 사용하는 경우가 많다.

둘째, 학습과 관리의 문제이다. 네트워크 관리자나 IT 전문가는 오랜 시간 동안 IPv4 환경에서 일해왔기 때문에 IPv6로의 전환에 대해 익숙하지 않은 경우가 많다. IPv6는 주소 체계나 설정 방법 등이 IPv4와 다르기 때문에 이를 배우고 적용하는 데 추가적인 노력이 필요하다. 따라서 많은 조직에서는 이러한 부담을 피하기 위해 IPv4를 계속 사용하려는 경향이 있다.

셋째, 일부 애플리케이션과 서비스는 아직 IPv6를 완벽히 지원하지 않는다. 특히 오래된 소프트웨어나 특정한 네트워크 환경에서 사용되는 애플리케이션은 IPv6 호환성을 보장하지 못하는 경우가 있다. 이러한 애플리케이션을 사용하는 조직에서는 IPv4를 계속 사용할 수밖에 없다.

마지막으로, 전환의 필요성을 느끼지 못하는 경우도 있다. 현재 많은 인터넷 서비스 제공자(ISP)는 여전히 IPv4를 통해 서비스를 제공하고 있다. 사용자 입장에서는 IPv4로 충분히 인터넷을 이용할 수 있기 때문에 굳이 IPv6로 전환할 필요성을 느끼지 못한다. 또한, IPv4와 IPv6는 공존할 수 있기 때문에 당장 IPv4를 포기해야 할 이유가 없다.

이러한 이유들로 인해 IPv6로의 전환은 생각보다 더디게 진행되고 있다. 그러나 IPv6의 장점은 분명하다. 방대한 주소 공간을 제공하기 때문에 향후 인터넷이 더욱 발전하고 더 많은 기기들이 연결되더라도 주소 부족 문제를 해결할 수 있다. 또한, IPv6는 더 나은 보안 기능과 효율적인 네트워크 라우팅을 제공하기 때문에 장기적으로는 IPv6로의 전환이 필수적이다.

따라서 IPv4에서 IPv6로의 전환을 촉진하기 위해서는 다음과 같은 전략적 판단이 필요하다. 첫째, 네트워크 장비와 소프트웨어의 업데이트를 점진적으로 진행하여 IPv6 호환성을 확보해야 한다. 둘째, 네트워크 관리자와 IT 전문가를 대상으로 한 IPv6 교육을 강화하여 전환에 대한 부담을 줄여야 한다. 셋째, ISP와 협력하여 IPv6 기반 서비스를 확대하고 사용자들에게 IPv6의 장점을 알리는 것이 중요하다.

결론적으로, IPv6로의 전환은 시간이 걸리는 일이지만 반드시 필요한 과정이다. 이러한 과정을 통해 인터넷은 더욱 안전하고 효율적인 환경으로 발전할 수 있을 것이다.

『 53 』

한 기관의 IT 담당자가 공인 IP를 사용하여 각 장비를 인터넷에 직접 연결된 것을 자랑스러워하고 있다. 그는 공인 IP를 사용하면 더 쾌적하며, 그렇게 많은 공인 IP를 운용하는 것에 대해 사회적 지위를 높게 인정받은 것으로 생각하여 자랑스러워 한다. 그러나 이런 안일한 생각이 보안을 저해할 수 있으므로 추가적인 조치가 필요하다. 다음 중 이 사용자가 취해야 할 적합한 조치는 무엇인가?

1. 공인 IP를 계속 사용하면서 방화벽 설정을 강화한다.

2. 공인 IP 대신 사설 IP를 사용하고, 네트워크 주소 변환(NAT)을 통해 인터넷에 연결한다.

3. 공인 IP를 사용하면서 백신 소프트웨어를 설치한다.

4. 공인 IP를 사용하되, 포트 포워딩을 설정하여 특정 포트만 열어둔다.

[정답]
2. 공인 IP 대신 사설 IP를 사용하고, 네트워크 주소 변환(NAT)을 통해 인터넷에 연결한다.

[해설]
공인 IP는 인터넷 서비스 제공업체(ISP)로부터 직접 할당받아 사용하는 IP 주소로, 모든 인터넷 사용자에게 고유하게 보이는 주소이다. 공인 IP를 사용하면 다른 인터넷 사용자가 해당 IP를 통해 쉽게 접근할 수 있으므로 보안에 취약할 수 있다. 반면, 사설 IP는 가정이나 회사 내부 네트워크에서 사용하는 IP 주소로, 외부 인터넷 사용자에게 직접 노출되지 않기 때문에 비교적 안전하다.

공인 IP를 사용하면 네트워크 속도가 더 빨라진다거나 기술력을 자랑할 수 있다는 생각은 잘못되었다. 인터넷 속도는 주로 네트워크 장비와 ISP의 성능에 따라 결정되며, 공인 IP와 사설 IP 사용 여부와는 직접적인 관련이 없다.

네트워크 보안을 위해 가장 중요한 것은 외부의 침입을 막고, 내부 네트워크를 보호하는 것이다. 이를 위해 사설 IP를 사용하고, 네트워크 주소 변환(NAT)을 통해 인터넷에 연결하는 방법이 있다. NAT는 내부 네트워크의 사설 IP 주소를 공인 IP 주소로 변환해주는 기술로, 외부 인터넷 사용자에게는 공인 IP만 보이고 내부 네트워크 구조는 숨길 수 있다. 이는 외부의 공격으로부터 내부 네트워크를 보호하는 효과적인 방법이다.

방화벽 설정 강화나 백신 소프트웨어 설치는 보안을 강화하는 방법 중 하나일 수 있지만, 공인 IP를 계속 사용하는 경우 외부로부터 직접적인 공격을 받을 가능성에 더 많이 노출된다. 또한, 포트 포워딩을 설정해 특정 포트만 열어두는 방법은 일부 서비스를 제공할 때 유용할 수 있지만, 여전히 구조적으로 보안에 취약하다.

따라서 공인 IP 대신 사설 IP를 사용하고 NAT를 통해 인터넷에 연결하는 것이 가장 안전한 방법이다. 이를 통해 외부 공격으로부터 내부 네트워크를 보호할 수 있으며, 사용자의 보안 의식도 높일 수 있다. 인터넷 사용 시 보안이 중요한 이유는 다양한 해킹 공격으로부터 개인 정보와 시스템을 보호하기 위함이다. 공인 IP를 직접 사용하는 것보다 사설 IP를 통해 간접적으로 연결하는 것이 보다 안전한 인터넷 환경을 구축하는 방법이다.

이처럼 공인 IP 사용을 자랑하는 것은 오히려 보안 위협에 노출될 수 있는 위험한 행동이다. 올바른 네트워크 설정과 보안 의식을 갖추는 것이 중요하다. 공인 IP와 사설 IP의 차이점을 이해하고, 내부 네트워크를 보호하기 위한 적절한 조치를 취하는 것이 필요하다.

매일 더 똑똑해지는 IT 교양서

ZERO TO ONE #1

『 54 』

개발자인 영희는 자바스크립트로 웹 애플리케이션을 프로그래밍 하면서 || 연산자를 사용하고 있었다. 영희는 || 연산자가 true나 false를 반환할 것이라고 생각했지만, 예상과 다르게 다른 값이 반환되었다. 이 상황과 관련하여 다음 중 옳은 설명은 무엇인가?

1. || 연산자는 항상 true 또는 false를 반환한다.

2. || 연산자는 두 값이 모두 true일 때만 첫 번째 값을 반환한다.

3. || 연산자는 첫 번째 피연산자를 true로 평가하면 그 값을 반환하고, 그렇지 않으면 두 번째 피연산자를 반환한다.

4. || 연산자는 두 피연산자가 모두 false로 평가되는 값일 때만 false를 반환한다.

[정답]
3. || 연산자는 첫 번째 피연산자가 true로 평가되는 값이면 그 값을 반환하고, 그렇지 않으면 두 번째 피연산자를 반환한다.

[해설]
자바스크립트에서 || 연산자는 논리 연산자 중 하나로, 흔히 "OR" 연산자라고 불린다. 영희가 || 연산자를 사용했을 때 true나 false가 아닌 다른 값이 반환된 이유는, 이 연산자가 단순히 논리적 참(true)이나 거짓(false)을 반환하는 것이 아니라, 실제 피연산자 값을 반환하기 때문이다.

구체적으로, || 연산자의 동작 방식을 이해하려면 자바스크립트의 진리성 평가(truthy)와 거짓 평가(falsy) 개념을 알아야 한다. 자바스크립트에서는 특정 값들이 참으로 평가되고, 다른 값들은 거짓으로 평가된다. 예를 들어, 0, 빈 문자열(""), null, undefined, NaN 등은 거짓으로 평가되고, 그 외의 값들은 참으로 평가된다.

|| 연산자의 동작은 다음과 같다:
1. 첫 번째 피연산자를 평가한다.
2. 첫 번째 피연산자가 참으로 평가되면, 그 값을 반환한다.
3. 첫 번째 피연산자가 거짓으로 평가되면, 두 번째 피연산자를 평가하고, 그 값을 반환한다.

따라서 영희가 || 연산자를 사용했을 때, 첫 번째 피연산자가 참으로 평가되는 값이었다면 그 값이 반환되었을 것이다. 그렇지 않다면 두 번째 피연산자가 반환되었을 것이다. 예를 들어, `var result = a || b;` 코드에서 a가 참으로 평가되면 result는 a가 되고, 그렇지 않으면 b가 된다.

이러한 동작 방식은 조건부 할당 등에 유용하게 사용될 수 있다. 예를 들어, 기본 값을 설정할 때 유용하다. `var name = inputName || "Guest";` 코드는 inputName이 거짓으로 평가되면 "Guest"가 name 변수에 할당되게 한다.

결론적으로, || 연산자는 항상 true나 false를 반환하는 것이 아니라, 실제 피연산자 값을 반환하기 때문에, 영희가 직면한 상황에서 || 연산자가 true나 false를 반환하지 않은 것은 전혀 이상한 일이 아니다. 이는 자바스크립트의 논리 연산자 특성에 기인한 것이다.

매일 더 똑똑해지는 IT 교양서

ZERO TO ONE #1

『 55 』

어느 날, 경험이 많은 IT 개발자인 철수는 신입 개발자 영희에게 프로그래밍에서 truthy와 falsy 개념을 설명하고 있었다. 철수는 다음과 같은 조건문을 보여주며 영희에게 물었다.

```
value = "0"
if value:
    print("True")
else:
    print("False")
```

위 코드가 실행되었을 때 출력 결과는 무엇일까?

1. True
2. False
3. 오류 발생
4. 아무것도 출력되지 않음

[정답]

1. "True"

[해설]

프로그래밍 언어에서 truthy와 falsy는 조건문이나 논리 연산에서 매우 중요한 개념이다. 이 개념을 이해하면 코드의 흐름을 더 잘 파악할 수 있다.

truthy는 조건문에서 참으로 평가되는 값이고, falsy는 거짓으로 평가되는 값이다. 예를 들어, 대부분의 프로그래밍 언어에서 0, 빈 문자열, None, False 등은 falsy로 간주된다. 반면, 그 외의 값은 truthy로 간주된다.

제시된 코드에서 value 변수에는 문자열 "0"이 할당되어 있다. 파이썬에서는 빈 문자열 ""는 falsy로 간주되지만, 그 외의 문자열은 모두 truthy로 간주된다. 따라서 "0"이라는 문자열은 truthy이다. 조건문 if value:는 value가 truthy인지 확인하는 조건문이므로, value가 truthy일 경우 print("True")가 실행된다.

즉, 이 코드의 출력 결과는 True가 된다. 조건문 안의 value가 truthy이기 때문이다. 만약 value가 빈 문자열이었다면, if value:는 거짓으로 평가되어 else 블록이 실행되고 False가 출력되었을 것이다.

신입 개발자인 영희가 이 개념을 잘 이해한다면, 다른 조건문에서도 어떤 값이 truthy인지 falsy인지 판단하여 올바른 논리적 결정을 내릴 수 있을 것이다. 이는 복잡한 프로그래밍에서 조건문을 더 효율적으로 사용하고 버그를 줄이는 데 큰 도움이 될 것이다.

매일 더 똑똑해지는 IT 교양서

ZERO TO ONE #1

『 56 』

소프트웨어 개발자 지훈이는 게임을 만드는 중이다. 특정 과제를 수행하면 점수가 오르는 기능을 새로 추가했다. 그런데 게임이 시작되자마자 플레이어의 점수가 예상치 못한 큰 수로 나타났다. 지훈이는 문제를 해결하기 위해 어떻게 해야 할까?

1. 아직 완성되지 않아서 그러므로 다음 부분의 코드를 마저 작성한다.

2. 스코어를 처리하는 코드를 게임의 다른 부분에서 처리하도록 수정한다.

3. 플레이어의 점수를 저장할 변수를 초기값 0으로 초기화한다.

4. 플레이어의 점수를 랜덤한 값으로 초기화한다.

[정답]
3. 플레이어의 점수를 저장할 변수를 초기값 0으로 초기화한다.

[해설]
변수 초기화는 프로그래밍에서 매우 중요하다. 초기화를 하지 않으면 변수가 가질 수 있는 초기 값이 불확실해져 예기치 않은 오류가 발생할 수 있다. 지훈이는 플레이어의 점수를 저장할 변수를 초기화하지 않은 채 게임을 실행했기 때문에 점수가 예상치 못한 큰 수로 나타났을 수 있다. 초기화되지 않은 변수는 메모리 상의 임의의 값을 가질 수 있기 때문이다.

첫 번째 선택지인 계속 코딩을 진행한다는 해결책은 문제를 전혀 해결하지 못한다. 오히려 이후 코딩 과정에서도 비슷한 오류가 발생할 가능성이 높다. 이는 결코 올바른 해결책이 아니다.

두 번째 선택지인 게임의 다른 부분에서 해당 내용을 처리하도록 코드를 수정한다는 방법은 잠재적인 오류를 증가시킬 수 있다. 변수 초기화는 가능한 한 변수를 선언할 때 바로 수행하는 것이 좋다. 이는 코드의 가독성과 유지보수성을 높이고, 변수를 사용하는 곳에서 예기치 않은 오류가 발생하는 것을 막을 수 있다.

네 번째 선택지인 플레이어의 점수를 랜덤한 값으로 초기화하는 것은 게임의 일관성을 해칠 수 있다. 게임의 점수는 일반적으로 플레이어의 성과를 반영해야 하므로, 랜덤한 값으로 초기화하는 것은 전혀 바람직하지 않다.

따라서 세 번째 선택지인 플레이어의 점수를 저장할 변수를 초기값 0으로 초기화하는 것이 올바른 방법이다. 변수를 초기화함으로써 변수는 예측 가능한 값을 가지게 되고, 이는 이후 코드의 동작을 안정적으로 만든다. 특히 게임과 같이 점수가 중요한 경우, 점수를 0으로 초기화함으로써 게임 시작 시 모든 플레이어가 같은 조건에서 시작할 수 있도록 보장할 수 있다.

프로그래밍에서 변수 초기화는 간단하지만 매우 중요한 단계이다. 이는 코드의 안정성을 높이고, 디버깅을 용이하게 하며, 예기치 않은 동작을 방지하는 데 필수적이다. 지훈이가 플레이어의 점수를 저장할 변수를 초기값 0으로 초기화함으로써 문제를 해결한 것은 매우 논리적이고 전략적인 판단이었다고 할 수 있다. 변수를 제대로 초기화하는 습관을 갖는 것은 좋은 프로그래머가 되기 위한 중요한 조건 중 하나이다.

매일 더 똑똑해지는 IT 교양서

ZERO TO ONE #1

『 57 』

HTTPS 인증서에 대한 내용 중 틀린 것은?

1. HTTPS 인증서는 안전한 통신을 위해 사용된다.

2. 안전하지 않은 웹사이트는 HTTPS 인증서를 통해 사용자에게 경고를 준다.

3. HTTPS 인증서가 있는 사이트는 자물쇠 아이콘이 표시된다.

4. HTTPS 인증서는 무료로 발급받을 수 없다.

[정답]
4. HTTPS 인증서는 무료로 발급받을 수 없다.

[해설]
HTTPS 인증서는 현대 웹 보안에서 매우 중요한 역할을 한다. 이를 이해하기 위해서는 HTTPS와 HTTP의 차이, 그리고 HTTPS 인증서가 왜 필요한지를 알아야 한다.

먼저 HTTP(HyperText Transfer Protocol)는 인터넷 상에서 데이터를 주고받는 프로토콜이다. 하지만 HTTP는 데이터를 암호화하지 않고 평문으로 전송하기 때문에 보안에 취약하다. 이에 반해 HTTPS는 HTTP의 보안 강화된 버전으로, 데이터를 암호화하여 전송함으로써 보안성을 확보한다.

HTTPS 인증서는 이러한 HTTPS의 보안을 강화하는 핵심적인 요소 중 하나이다. 이는 통신 상대방이 누구인지 확인하고 데이터를 안전하게 주고받기 위해 사용된다. 이때, HTTPS 인증서는 공인된 기관(CA, Certificate Authority)에서 발급받으며, 발급 과정에서 일정한 신원 확인 절차를 거친다. 이렇게 발급받은 인증서는 공개키 암호화 방식을 이용하여 통신 상대방의 신원을 확인하여 데이터의 무결성과 기밀성을 보장한다.

따라서 HTTPS 인증서가 있는 사이트는 사용자에게 안전한 통신을 제공함을 알리기 위해 브라우저에 자물쇠 아이콘이 표시된다. 이는 사용자에게 해당 웹사이트가 신뢰할 수 있는 사이트임을 시각적으로 알려준다. 반면에 안전하지 않은 웹사이트는 HTTPS 인증서가 없거나 유효하지 않은 인증서를 가지고 있을 가능성이 있으며, 이 경우 브라우저는 경고 메시지를 통해 사용자에게 사이트의 신뢰성에 대한 의심을 알린다.

그러나 4번 설명은 틀렸다. HTTPS 인증서는 무료로 발급받을 수 있다. 실제로 Let's Encrypt와 같은 기관은 무료로 HTTPS 인증서를 발급하여 보다 많은 웹사이트가 보안된 통신을 제공할 수 있도록 돕고 있다. 따라서 HTTPS 인증서를 발급받기 위해서는 유료 인증서가 아니더라도 충분히 안전하고 신뢰할 수 있는 인증서를 얻을 수 있다.

매일 더 똑똑해지는 IT 교양서

ZERO TO ONE #1

『 58 』

웹사이트 관리자 김 박사는 회사의 웹사이트가 사용자의 데이터를 안전하게 보호할 수 있도록 HTTPS 인증서를 도입하려고 한다. 그는 이 인증서를 통해 사용자와 웹사이트 간의 데이터 통신이 암호화되어 중간에서 데이터를 가로채는 공격을 막을 수 있다는 것을 알고 있다. 그러나, 김 박사는 HTTPS 인증서가 어떻게 이러한 보안을 제공하는지 확실히 이해하고자 한다. 다음 중 HTTPS 인증서가 데이터를 보호하는 메커니즘에 대한 설명으로 가장 적절한 것은 무엇인가?

1. HTTPS 인증서는 사용자의 IP 주소를 숨겨 데이터가 안전하게 전송되도록 한다.

2. HTTPS 인증서는 웹사이트와 사용자의 데이터 통신을 암호화하여 중간에서 데이터를 가로채는 공격을 방지한다.

3. HTTPS 인증서는 사용자의 데이터 요청을 무작위로 분산시켜 해킹의 위험을 줄인다.

4. HTTPS 인증서는 웹사이트의 서버 위치를 변경해 데이터를 안전하게 전송하도록 한다.

[정답]

2. HTTPS 인증서는 웹사이트와 사용자의 데이터 통신을 암호화하여 중간에서 데이터를 가로채는 공격을 방지한다.

[해설]

HTTPS(HyperText Transfer Protocol Secure)는 HTTP에 SSL/TLS 프로토콜을 추가한 것이다. HTTPS는 웹사이트와 사용자의 브라우저 사이의 데이터 통신을 암호화하여 보안을 강화하는 역할을 한다. 이 암호화 과정에서 중요한 역할을 하는 것이 바로 인증서이다.

인증서는 신뢰할 수 있는 인증 기관(CA, Certificate Authority)에서 발급받는다. 이 인증서를 통해 웹사이트는 자신의 신원을 증명하고, 브라우저는 이 신원을 검증할 수 있다. SSL/TLS 인증서에는 공개 키와 웹사이트 도메인 등의 정보가 포함된다.

HTTPS 통신은 주로 다음과 같은 단계로 이루어진다:

1. 인증서 발급: 웹사이트 관리자는 인증 기관에 도메인 소유권을 증명하고 인증서를 발급받는다. 이 과정에서 관리자는 CSR(Certificate Signing Request)을 생성하여 CA에 제출하고, CA는 이를 검토 후 인증서를 발급한다.

2. 핸드셰이크 과정: 사용자가 웹사이트에 접속하면, 브라우저와 웹서버는 SSL/TLS 핸드셰이크를 수행한다. 이 과정에서 서버는 자신의 인증서를 브라우저에 제공한다. 브라우저는 이 인증서가 신뢰할 수 있는 CA에서 발급된 것인지 확인하고, 서버와 보안 연결을 설정한다.

3. 암호화 통신: 핸드셰이크가 완료되면, 브라우저와 서버는 대칭 키를 사용하여 데이터를 암호화한다. 대칭 키 암호화는 빠르기 때문에 실제 데이터 전송에 사용된다. 대칭 키는 핸드셰이크 과정에서 안전하게 교환되며, 이를 통해 데이터는 암호화되어 전송된다.

이러한 암호화 과정에서 중요한 것은 공개 키와 개인 키의 역할이다. 공개 키는 인증서에 포함되어 누구나 접근할 수 있으며, 개인 키는 서버에 비밀로 저장된다. 브라우저는 서버의 공개 키로 데이터를 암호화하고, 서버는 자신의 개인 키로 이를 복호화하여 안전하게 데이터를 수신한다.

데이터 암호화와 더불어 HTTPS는 데이터의 무결성도 보장한다. 이는 데이터가 전송 중에 수정되지 않았음을 의미한다. SSL/TLS는 MAC(Message Authentication Code)를 사용하여 데이터의 무결성을 확인한다. 데이터가 전송되기 전에 MAC이 계산되어 함께 전송되고, 수신 측은 이를 검증하여 데이터의 무결성을 확인한다.

HTTPS는 중간자 공격(MITM, Man-In-The-Middle attack)을 방지하는 데 매우 효과적이다. 중간자 공격이란, 공격자가 웹사이트와 사용자 간의 통신을 가로채어 데이터를 훔치거나 조작하는 공격을 말한다. HTTPS를 사용하면 모든 데이터가 암호화되어 전송되기 때문에 공격자는 중간에서 데이터를 가로채더라도 이를 해독할 수 없다.

정리하자면, HTTPS 인증서는 웹사이트와 사용자의 데이터 통신을 암호화하여 중간자 공격을 방지하고, 데이터의 무결성을 보장함으로써 사용자의 데이터를 안전하게 보호하는 메커니즘을 제공한다. 이 과정을 통해 사용자는 안전하게 웹사이트를 이용할 수 있고, 웹사이트는 신뢰를 얻을 수 있다.

김 박사가 HTTPS 인증서를 통해 데이터 보안을 강화하려는 것은 적합한 판단이다. 이를 통해 회사의 웹사이트는 사용자의 데이터를 안전하게 보호할 수 있고, 사용자에게 신뢰를 줄 수 있다. 이는 웹사이트 운영에서 매우 중요하며 또한 필수적이다.

『 59 』

당신은 최근에 인터넷을 이용하던 중 특정 사이트에 접속하지 못하는 문제를 겪고 있다(폰허브 아님). 자주 이용하는 사이트인데도 불구하고(폰허브 아님), 머지않아 연결이 차단된 것을 알게 되었다. 어떤 방법으로 이 문제를 해결할 수 있을까?

1. 휴대폰의 데이터를 껐다 다시 켜면 IP 주소가 바뀌므로 문제가 해결될 것이다.

2. VPN(Virtual Private Network)을 사용하여 접속한다.

3. 인터넷 서비스 제공업체에 문제 해결을 요청한다.

4. 다른 사람의 Wi-Fi를 이용하여 접속한다.

[정답]
2. VPN(Virtual Private Network)을 사용하여 접속한다.

[해설]
위의 상황에서 문제를 해결하기 위한 가장 효과적인 전략은 VPN(Virtual Private Network)을 사용하는 것이다.

첫째로, VPN은 사용자의 실제 IP 주소를 숨기고 대신 VPN 서버의 IP 주소를 사용하여 인터넷에 연결한다. 이를 통해 사이트가 차단한 IP 주소와는 상관없이 VPN 서버의 IP 주소로 접속을 시도할 수 있다. 신속하고 효과적으로 IP 주소를 변경 방법이다.

둘째로, VPN은 데이터를 암호화하여 보호한다. 이는 인터넷 서비스 제공업체나 기타 중간자들이 사용자의 활동을 감시하거나 차단하는 것을 방지할 수 있다. 따라서 VPN을 통해 연결하면 일반적으로 데이터의 안전성과 개인정보 보호 수준이 향상된다.

마지막으로, VPN은 지리적 제한을 우회할 수 있다. 즉, 사용자는 VPN을 사용하여 다른 지역의 서버에 연결하여 그 지역에서만 제한되는 콘텐츠에 액세스할 수 있다. 따라서 사이트가 특정 지역에서만 접속을 차단하는 경우 VPN을 사용하여 해당 제한을 피할 수 있다.

1. 휴대폰의 데이터를 껐다 다시 켜는 것은 IP 주소를 변경할 수 있는 한 가지 방법이지만, 이것만으로는 문제를 해결하는 데에는 제한적이다. 많은 경우에는 인터넷 서비스 제공업체(ISP)가 동적 IP 주소 할당을 사용하고 있어서 IP 주소가 변경될 수 있지만, 경우에 따라 고정 IP 주소를 할당받은 경우나 다른 이유로 IP 주소가 변경되지 않을 수 있다. 또한, IP 주소 제한만이 유일한 차단 방법이 아니므로 항상 사이트의 차단을 피할 수 있다는 보장은 없다.

3. 인터넷 서비스 제공업체에 문제 해결을 요청하는 것은 좋은 선택지일 수 있지만, 이는 문제를 해결하는 데에는 일정한 시간이 소요될 수 있다. 또한, ISP가 IP 주소를 변경해줄지 여부는 보장되지 않는다. 더구나, 문제가 특정 사이트에 대한 차단으로 인해 발생하는 경우에는 ISP가 직접적인 해결책을 제공하기 어려울 수 있다.

4. 다른 사람의 Wi-Fi를 이용하여 접속하는 것은 보안 위협에 노출될 가능성이 있으며 지역적인 한계도 극복할 수 없다. 이 방법은 안전하지 않을 뿐만 아니라 상대적으로 효과적인 해결책은 아니다.

이러한 이유로, VPN은 특정 사이트에 접속하지 못하는 상황을 극복하기 위한 효과적인 전략으로 사용될 수 있다. 따라서 주어진 상황에서는 VPN을 사용하여 문제를 해결하는 것이 적합한 선택이다.

『 60 』

당신은 보안 전문가로 한 기업의 보안 시스템을 점검하는 중이다. 어느 날 회사의 데이터 서버가 해킹당한 정황을 식별하였는데 공격자의 IP 주소는 위장된 것으로 밝혀졌다. 당신은 추가적인 개인 식별 정보를 찾아내야 한다. 다음 중 어떤 방법이 가장 효과적일까?

1. 해커의 이메일 주소를 추적한다.

2. 해커가 남긴 메타데이터를 분석한다.

3. 해커의 사용자 에이전트(User Agent)를 확인한다.

4. 해커의 쿠키 데이터를 수집한다.

[정답]
2. 해커가 남긴 메타데이터를 분석한다.

[해설]
해커의 IP 주소가 위장된 상황에서 해커를 식별할 수 있는 추가적인 정보는 매우 중요하다. IP 주소 외에도 다양한 개인 식별 정보가 있으며, 그 중에서 메타데이터 분석이 특히 효과적이다. 이를 자세히 살펴보자.

1. 이메일 주소 추적: 해커의 이메일 주소를 추적하는 방법도 유용할 수 있다. 그러나 해커는 종종 익명성을 유지하기 위해 가짜 이메일 주소나 임시 이메일 서비스를 사용한다. 게다가 이메일 주소 자체만으로는 공격자의 실제 신원을 밝히는 데 한계가 있다. 이메일을 통해 얻을 수 있는 정보는 제한적이며, 추가적인 데이터 없이 단독으로는 효과적이지 않다.

2. 메타데이터 분석: 메타데이터는 파일이나 데이터에 포함된 추가 정보로, 파일이 언제, 어디서, 누구에 의해 생성되었는지 등의 정보를 포함한다. 해커가 남긴 메타데이터는 공격자가 사용한 소프트웨어 버전, 운영 체제, 파일 생성 시간 등 다양한 정보를 제공할 수 있다. 이 정보는 해커의 활동 패턴을 파악하고, 동일한 해커가 다른 공격에서도 동일한 메타데이터를 남겼는지 추적하는 데 도움이 된다. 예를 들어, 문서 파일의 메타데이터에 남

아있는 작성자 정보나 이미지 파일의 EXIF 데이터에 포함된 위치 정보 등이 해커를 드러낼 수 있다. 메타데이터 분석을 통해 해커의 행적을 추적하고, 동일한 해커가 사용한 다른 공격의 패턴을 파악하는 데 유용한 단서를 제공할 수 있다.

3. 사용자 에이전트(User Agent) 확인: 사용자 에이전트는 웹 브라우저나 클라이언트 프로그램이 서버에 요청을 보낼 때 자신을 식별하는 문자열이다. 이는 해커가 사용한 브라우저 유형, 버전, 운영 체제 등에 대한 정보를 제공할 수 있다. 하지만 이는 상대적으로 쉽게 위장하거나 변경할 수 있는 정보다. 해커가 고의로 잘 알려진 사용자 에이전트를 사용하여 자신의 흔적을 숨길 가능성도 있다. 따라서 단독으로는 해커의 신원을 명확히 파악하는 데 한계가 있다.

4. 쿠키 데이터 수집: 쿠키는 웹사이트가 사용자의 브라우저에 저장하는 작은 데이터 조각으로, 사용자의 이전 활동을 추적하는 데 사용된다. 해커의 쿠키 데이터를 통해 그가 이전에 어떤 사이트를 방문했는지, 어떤 활동을 했는지 알 수 있다. 그러나 쿠키 데이터는 특정 웹사이트에 한정된 정보이며, 해커가 이를 삭제하거나 변조할 수 있다. 또한, 쿠키 데이터만으로는 해커의 실체를 완전히 파악하기는 어렵다.

메타데이터 분석은 이러한 다른 방법들에 비해 더 포괄적인 증거를 제공할 수 있다. 해커가 사용하는 도구와 환경, 활동 시간 등의 정보를 통해 보다 정확한 추적이 가능하다. 예를 들어, 해커가 작성한 문서 파일의 메타데이터에서 특이한 작성자 이름이나, 파일 생성 시간대가 일관되게 특정 시간대에 집중되어 있는 것을 발견할 수 있다면, 이는 해커의 생활 패턴을 유추하는 데 도움이 된다. 이러한 정보는 다른 보안 시스템과 결합하여 해커의 신원을 파악하거나 해커가 자주 사용하는 서버나 네트워크를 추적하는 데 도움이 된다.

따라서, IP 주소가 위장된 상황에서 해커를 식별할 수 있는 가장 효과적인 방법은 메타데이터를 분석하는 것이다. 이는 해커의 활동 패턴과 도구 사용 습관 등을 파악하여 보다 정확한 추적을 가능하게 한다.

『 61 』

당신은 IT 보안 전문가로서 최근에 의뢰를 하나 받았다. 어느 한 인플루언서가 자신의 사생활 사진이 유출되었다는 것이다. 유출된 사진에는 집 주소, 촬영 날짜, 그리고 촬영한 카메라의 정보까지 포함되어 있어 큰 문제가 되고 있다. 이러한 사진 파일의 메타 데이터 중 개인 식별과 상대적으로 거리가 먼 것은?

1. GPS 좌표

2. 카메라 시리얼 넘버

3. 촬영 날짜 및 시간

4. 카메라 셔터 속도

[정답]
4. 카메라 셔터 속도

[해설]
사진 파일에는 다양한 메타 데이터가 포함될 수 있다. 메타 데이터는 디지털 파일에 포함된 데이터로, 파일의 내용 외에도 다양한 정보를 담고 있다. 특히 이미지 파일에는 중요한 개인 정보가 포함될 수 있어 주의가 필요하다.

메타 데이터에는 대표적으로 EXIF(Exchangeable Image File Format) 데이터가 있다. EXIF 데이터는 디지털 카메라로 사진을 찍을 때 자동으로 생성되며, 촬영 조건과 관련된 다양한 정보를 포함하고 있다. 여기에는 카메라의 제조사와 모델, 촬영 날짜와 시간, 노출 시간, 조리개 값, ISO 감도, GPS 좌표 등이 포함될 수 있다.

첫 번째로, GPS 좌표는 촬영 위치를 나타내는 정보로, 사진이 찍힌 정확한 장소를 알려준다. 이는 개인의 위치 정보를 노출할 수 있어 사생활 침해의 주요 원인이 된다. 예를 들어, 집이나 자주 가는 장소에서 찍은 사진의 GPS 정보를 통해 누군가가 사용자의 일상적인 동선을 파악할 수 있다. 이는 연예인뿐만 아니라 일반인에게도 큰 위험이 될 수 있다.

두 번째로, 촬영 날짜와 시간 역시 중요한 정보다. 이 정보는 사진이 언제 찍혔는지를 알려주며, 특정 시간대의 활동을 추적하는 데 사용될 수 있다. 연예인의 경우, 스케줄이나 개인적인 약속이 유출될 위험이 있다. 또한, 법적인 분쟁이나 사건 조사에서도 중요한 증거로 사용될 수 있다.

세 번째로, 카메라 시리얼 넘버 정보도 포함된다. 카메라 시리얼 넘버는 각 카메라에 고유하게 부여된 번호로, 특정 카메라로 촬영된 사진들을 식별할 수 있게 해준다. 이는 특정 사용자가 소유한 카메라를 추적하는 데 이용될 수 있어 개인 식별에 중요한 역할을 할 수 있다. 특히, 동일한 카메라로 여러 장소에서 찍힌 사진들을 통해 사용자의 이동 경로나 활동을 추적할 수 있다.

네 번째로, 카메라 셔터 속도 정보도 포함된다. 그러나 셔터 속도는 사진 촬영 시 카메라의 설정값 중 하나로, 사진의 밝기와 선명도에 영향을 미치는 기술적 정보일 뿐, 개인 식별과는 직접적인 관련이 없다. 셔터 속도는 주로 사진의 품질과 관련된 정보이며, 개인의 위치나 신원을 노출하는 데는 유용하지 않다.

따라서 사진 파일의 메타 데이터 중에서 개인 식별을 위해 중요한 정보는 GPS 좌표, 촬영 날짜와 시간, 그리고 카메라 시리얼 넘버 정보다. 이러한 정보는 사진을 통해 사용자의 위치와 활동을 추적할 수 있게 해준다. 이를 방지하기 위해서는 사진을 공유하기 전에 메타 데이터를 삭제하거나, 필요한 경우 최소한의 정보만 남기고 제거하는 것이 좋다.

이와 같이 메타 데이터는 매우 유용한 정보를 담고 있지만, 잘못 관리될 경우 큰 사생활 침해로 이어질 수 있다. 따라서 디지털 파일을 다룰 때는 메타 데이터의 내용을 확인하고 필요에 따라 적절히 조치하는 것이 중요하다. 특히, 중요한 사진이나 문서를 공유할 때는 더욱 신중한 접근이 필요하다.

『 62 』

기업 A의 보안 팀은 일부 사이버 스파이 그룹이 사용하는 ORB(Operational Relay Box) 네트워크로 인해 어려움을 겪고 있다. 이 네트워크는 IoC(Indicators of Compromise)를 무력화하는 특징이 있으며 기존의 보안 탐지 시스템으로는 대응이 어렵다. 다음 중 ORB 네트워크가 IoC를 무력화할 수 있는 이유로 가장 적절한 것은 무엇인가?

1. ORB 네트워크는 주기적으로 IP 주소와 도메인을 변경하여 탐지를 회피한다.

2. ORB 네트워크는 해킹된 기기와 임대한 서버를 통해 구성되어 있다.

3. ORB 네트워크는 여러 해킹 그룹이 공동으로 사용하여 탐지를 어렵게 만든다.

4. ORB 네트워크는 보안 패치가 적용되지 않은 취약한 시스템을 공격 대상으로 삼는다.

[정답]

1. ORB 네트워크는 주기적으로 IP 주소와 도메인을 변경하여 탐지를 회피한다.

[해설]

ORB(Operational Relay Box) 네트워크는 몇몇 사이버 스파이 그룹이 사용하는 프록시 네트워크로, 해킹된 기기와 임대한 VPS(Virtual Private Server)를 통해 구성된다. 이 네트워크의 주요 특징은 주기적인 IP 주소와 도메인 변경을 통해 보안 탐지를 회피한다는 점이다. IoC(Indicators of Compromise)는 공격에 사용된 IP 주소, 도메인, 파일 해시값 등의 정보를 기반으로 위협을 탐지한다. 그러나 ORB 네트워크는 주기적으로 이러한 정보를 변경하여 탐지를 어렵게 만든다.

1. 변동성: ORB 네트워크는 다양한 IP 주소와 도메인을 사용해 지속적으로 변경한다. 공격자는 탐지를 피하기 위해 특정 IP 주소나 도메인이 탐지되면 즉시 다른 IP 주소나 도메인으로 변경한다. 이로 인해 고정된 탐지 방식으로는 대응하기 어렵다. 탐지 시스템이 특정 IP 주소나 도메인을 차단하더라도, ORB 네트워크는 다른 IP 주소나 도메인으로 변경하여 다시 공격을 시도할 수 있다.

2. 프록시 네트워크: ORB는 해킹된 기기와 임대한 서버를 이용해 프록시 네트워크를 구성한다. 이를 통해 네트워크 트래픽을 분산시키고, 실제 공격자의 위치를 숨긴다. 이러한 방식은 네트워크 상에서의 활동을 감추기 때문에, IoC 기반의 탐지가 어려워진다. 해킹된 기기와 임대한 서버를 통해 공격 트래픽을 우회시킴으로써, 보안 시스템이 이를 악성 트래픽으로 인식하지 못하게 한다.

3. 공동 사용: ORB 네트워크는 여러 해킹 그룹이 공동으로 사용한다. 이는 탐지와 차단을 더욱 어렵게 만든다. 다양한 그룹이 동일한 인프라를 공유하기 때문에 특정 그룹의 활동을 탐지하더라도 다른 그룹의 활동이 지속될 수 있다. 이로 인해 보안 팀이 특정 IP 주소나 도메인을 차단하더라도, 다른 그룹이 새로운 IP 주소나 도메인을 통해 공격을 계속할 수 있다.

결론적으로, ORB 네트워크는 주기적인 IP 주소와 도메인 변경을 통해 IoC 기반 탐지를 회피한다. 이는 기존의 고정된 정보에 기반하는 방식으로는 대응하기 어렵다. 따라서 ORB 네트워크의 IoC 무력화 특성을 극복하기 위해서는 실시간 모니터링과 지속적인 분석이 필요하다. 전담팀을 구성하여 ORB 네트워크의 작동 방식과 공격 패턴을 깊이 있게 이해하고, 이를 기반으로 실시간 모니터링 시스템을 구축하는 것을 지향해야 하며 관련된 적절한 방어 전략을 세울 수 있는 능력이 요구된다.

『 63 』

국제 사이버 보안 컨퍼런스에서 국제 정세 및 탈린 매뉴얼과 관련된 발표가 있었다. 발표 중 한 참가자가 질문을 던진다. "현실적으로 탈린 매뉴얼의 요지는 무엇이며, 현재 국제 사회에서 어느 정도의 위상으로 평가하시나요?" 이 질문에 대한 가장 적절한 답변을 선택하시오.

1. 탈린 매뉴얼은 국제 사이버 보안 규범을 정립한 문서로, 국가 간 사이버 전쟁 시의 법적 기준을 제공하며, 현재 대부분의 국가에서 법적으로 채택되어 사이버 안보의 기본 틀이 되고 있다.

2. 탈린 매뉴얼은 사이버 공간에서의 국제법 적용을 연구한 문서로, 국가 간 분쟁에서 무력 충돌을 피하는 데 중점을 두며, 현재 국제 사회에서 법적 구속력이 없는 권고 사항으로 평가받고 있다.

3. 탈린 매뉴얼은 사이버 범죄 예방을 위한 국제 규약으로, 주로 민간 기업의 보안 강화를 목적으로 하며, 현재 유럽 연합 내에서만 적용되고 있다.

4. 탈린 매뉴얼은 사이버 공간에서의 민간인의 권리를 보호하기 위한 국제 협약으로, 주요 내용은 개인정보 보호에 있으며, 현재 UN 회원국 대부분에서 필수적으로 따르는 규범이 되었다.

[정답]
2. 탈린 매뉴얼은 사이버 공간에서의 국제법 적용을 연구한 문서로, 국가 간 분쟁에서 무력 충돌을 피하는 데 중점을 두며, 현재 국제 사회에서 법적 구속력이 없는 권고 사항으로 평가받고 있다.

[해설]
탈린 매뉴얼(Tallinn Manual)은 사이버 전쟁과 관련된 국제법 적용을 다룬 주요 문서이다. 2007년 에스토니아의 수도 탈린에서 발생한 대규모 사이버 공격을 계기로 NATO 산하 협력기관인 CCDCOE(사이버 방위 협력 센터)가 주도하여 2013년에 첫 번째 버전이 발간되었다. 2017년에 두 번째 버전인 '탈린 매뉴얼 2.0'이 나왔다.

탈린 매뉴얼은 사이버 공간에서 발생하는 국가 간 분쟁에서 국제법이 어떻게 적용될 수 있는지를 연구한 결과물이다. 특히 무력 충돌과 관련된 국제법, 즉 국제 인도법(전시 국제법)과 국제 인권법의 사이버 공간 적용에 대해 집중적으로 다룬다. 여기에는 무력 공격의 정의, 자위권 행사, 비전투원 보호, 중립국의 권리와 의무 등이 포함된다. 탈린 매뉴얼의 핵심은 국가 간 사이버 작전이 기존의 국제법 틀 안에서 어떻게 해석되고 적용될 수 있는지를 명확히 하는 데 있다.

탈린 매뉴얼은 법적 구속력이 없는 권고 사항으로, 국제 사회에서 하나의 지침으로 평가받는다. 즉, 모든 국가가 이를 법적으로 채택한 것은 아니지만, 사이버 작전과 관련된 법적 기준을 정립하는 데 중요한 역할을 한다. 현재 탈린 매뉴얼은 국제 사회에서 법적 구속력은 없으나, 국가들이 사이버 전략을 수립하고 사이버 전쟁의 법적 측면을 고려할 때 참고하는 주요 문서로 자리잡았다.

탈린 매뉴얼이 법적 구속력이 없는 이유는 국제법 자체가 주권 국가 간의 합의에 의해 성립되기 때문이다. 모든 국가가 동의하지 않는 한, 국제법은 권고 사항 이상의 효력을 가지기 어렵다. 따라서 탈린 매뉴얼은 각국의 자율적인 채택과 적용에 맡겨져 있으며, 주로 학계, 군사 전문가, 법률가들이 사이버 전쟁의 법적 논의를 할 때 사용된다.

탈린 매뉴얼의 국제적 위상은 상당히 높다. 이는 사이버 공간에서의 법적 공백을 메우기 위한 첫 시도였으며, 다양한 전문가들이 참여하여 그 신뢰성을 높였다. 또한, 다양한 국가에서 사이버 안보 정책을 수립할 때 중요한 참고 자료로 활용되고 있다. 이러한 이유로 탈린 매뉴얼은 사이버 전쟁의 법적 기준을 논의할 때 빠지지 않는 문서가 되었다.

그러나 탈린 매뉴얼의 한계도 존재한다. 법적 구속력이 없기 때문에 실제 분쟁 상황에서 얼마나 효력이 있을지는 미지수다. 또한, 빠르게 변화하는 사이버 기술과 전술을 모두 포괄하기에는 한계가 있다. 그럼에도 불구하고 탈린 매뉴얼은 국제 사회에서 사이버 전쟁의 법적 기준을 논의하는 데 중요한 역할을 하며, 앞으로도 그 가치와 중요성은 유지될 것으로 보인다.

결론적으로, 탈린 매뉴얼은 사이버 공간에서의 국제법 적용을 연구한 권고 사항이며, 현재 법적 구속력은 없으나 국제 사회에서 중요한 지침으로 인정받고 있다. 이는 국가 간 사이버 분쟁을 다루는 데 있어 중요한 기준을 제공하며, 사이버 안보의 법적 틀을 마련하는 데 큰 기여를 하고 있다.

『 64 』

회사에서 해외 웹사이트 접속이 필요하지만, 해당 사이트가 지역 제한으로 인해 접근이 불가능하다. 이 문제를 해결하기 위해 프록시 서버를 이용하려고 한다. 다음 중 프록시 서버의 원리와 메커니즘에 대해 올바르게 설명한 것은?

1. 프록시 서버는 사용자의 IP 주소를 숨겨주며, 이를 통해 지역 제한을 우회할 수 있다.

2. 프록시 서버는 데이터를 암호화하여 안전하게 전송하지만, 속도는 느려질 수 있다.

3. 프록시 서버는 사용자의 브라우저와 직접 통신하여 웹사이트를 대신 요청하고 결과를 반환한다.

4. 프록시 서버는 웹 트래픽을 직접 필터링하여 악성 코드와 바이러스를 제거해 준다.

[정답]

1. 프록시 서버는 사용자의 IP 주소를 숨겨주며, 이를 통해 지역 제한을 우회할 수 있다.

[해설]

프록시 서버는 인터넷을 사용할 때 중간에 위치한 서버로, 사용자가 방문하고자 하는 웹사이트와 대신 통신하여 다양한 기능을 수행하는 장치이다. 이를 통해 사용자는 자신의 IP 주소를 숨기고 웹사이트에 접근할 수 있다. 프록시 서버는 사용자의 요청을 대신 수행하고 결과를 사용자에게 전달하는 역할을 한다.

먼저 프록시 서버의 원리에 대해 알아보자. 사용자가 웹사이트에 접속하고자 할 때, 그 요청은 직접 웹사이트로 보내지지 않고 프록시 서버로 전달된다. 프록시 서버는 그 요청을 받아서 웹사이트에 대신 요청을 하고, 그 응답을 다시 사용자에게 전달한다. 이 과정에서 사용자의 실제 IP 주소는 웹사이트에 노출되지 않으며, 대신 프록시 서버의 IP 주소가 노출된다. 이로 인해 사용자는 자신의 위치를 숨기고 웹사이트를 이용할 수 있게 된다.

프록시 서버의 가장 일반적인 용도는 인터넷 검열 회피와 지역 제한 우회이다. 예를 들어, 특정 국가에서만 접근 가능한 콘텐츠가 있을 때, 해당 국가에 위치한 프록시 서버를 이용하면 그 콘텐츠를 볼 수 있게 된다. 이는 프록시 서버가 사용자 대신 요청을 처리하기 때문에 가능한 일이다.

프록시 서버는 다양한 형태로 존재할 수 있다. 가장 흔한 형태는 HTTP 프록시와 SOCKS 프록시이다. HTTP 프록시는 주로 웹 트래픽을 처리하는 데 사용되며, SOCKS 프록시는 다양한 종류의 트래픽을 처리할 수 있다. 이 두 가지 프록시는 각각의 용도와 특징이 다르지만, 기본적인 작동 원리는 동일하다.

프록시 서버의 또 다른 중요한 기능은 캐싱이다. 프록시 서버는 자주 요청되는 웹 페이지나 데이터를 캐시에 저장해 두었다가, 동일한 요청이 들어오면 캐시된 데이터를 빠르게 제공한다. 이를 통해 네트워크 대역폭을 절약하고, 웹 페이지 로딩 속도를 향상시킬 수 있다. 하지만 이 경우, 최신 정보가 아닌 캐시된 데이터를 제공할 수 있다는 단점이 있다.

프록시 서버의 보안 기능도 중요한데, 이를 통해 사용자들은 보다 안전하게 인터넷을 사용할 수 있다. 예를 들어, 일부 프록시 서버는 웹 트래픽을 필터링하여 악성 웹사이트 접속을 차단하거나, 사용자들의 데이터 전송을 암호화하여 보안을 강화할 수 있다. 그러나 프록시 서버가 모든 보안 위협을 막아주는 것은 아니다. 프록시 서버 자체가 해킹당하거나 악성 프록시 서버일 경우, 오히려 사용자 정보가 유출될 위험이 있다.

위 설명을 통해, 프록시 서버가 사용자 IP 주소를 숨기고 웹사이트에 접근하게 해주는 도구라는 것을 이해할 수 있다. 반면, 데이터 암호화는 주로 VPN(가상 사설망)이 담당하는 기능이다. 프록시 서버는 웹사이트 대신 요청을 수행하지만, 데이터를 암호화하는 것은 아니다. 또한, 보통의 프록시 서버는 웹 트래픽을 직접 필터링하여 악성 코드와 바이러스를 제거하는 기능을 제공하지는 않는다. 이는 방화벽이나 보안 소프트웨어의 역할에 더 가깝다. 프록시 서버는 요청을 대신 수행하고 결과를 전달하는 중간자 역할을 한다고 이해하면 된다.

결론적으로, 프록시 서버는 사용자의 IP 주소를 숨기고, 다양한 용도로 사용될 수 있으며, 이를 통해 인터넷을 더 안전하고 효율적으로 사용할 수 있도록 도와준다. 프록시 서버의 원리와 메커니즘을 이해하면, 이를 필요에 맞게 적절히 활용할 수 있다.

『 65 』

당신은 개발자로서 어떤 한 프로젝트를 맡게 되었다. 당신의 역할은 복잡한 웹 애플리케이션을 구축하는 것이다. 사용자 인터페이스(UI)는 매력적이고 직관적이어야 하며, 사용자 요청에 따라 데이터베이스에서 정보를 정확하게 불러와야 한다. 하지만 기존의 방식으로 개발을 진행하다 보니 코드가 뒤죽박죽이 되어 유지보수가 어려워졌다. 이 문제를 해결하기 위해 무엇을 고려해야 할까?

1. MVC 패턴을 도입한다.

2. 데이터베이스를 더 큰 용량으로 교체한다.

3. UI 디자인을 더 화려하게 만든다.

4. 모든 코드를 하나의 파일에 통합한다.

[정답]
1. MVC 패턴을 도입한다.

[해설]
복잡한 웹 애플리케이션을 개발하면서 유지보수의 어려움을 해결하기 위해 도입할 수 있는 전략 중 하나가 바로 MVC 패턴이다. MVC는 Model-View-Controller의 약자로, 애플리케이션을 세 가지 주요 컴포넌트로 나누어 개발하는 디자인 패턴이다.

먼저, 모델(Model)은 애플리케이션의 데이터와 그 데이터의 로직을 담당한다. 여기에는 데이터베이스와의 상호작용, 데이터 검증, 데이터 저장 등이 포함된다. 모델은 독립적으로 동작하며, 데이터가 어떻게 저장되고 조작되는지를 정의한다. 예를 들어, 사용자가 입력한 정보를 데이터베이스에 저장하거나, 데이터베이스에서 불러온 정보를 가공하여 반환하는 역할을 한다.

뷰(View)는 사용자 인터페이스(UI)를 담당한다. 사용자가 직접적 상호작용하는 부분으로, 화면에 데이터를 보여주고, 사용자의 입력을 받는다. MVC 패턴에서 뷰는 데이터를 직접 다루지 않고, 모델에서 데이터를 받아와 화면에 출력한다. 이렇게 함으로써 UI 코드와 비즈니스 로직이 분리되어 유지보수성이 높아진다.

컨트롤러(Controller)는 모델과 뷰를 연결하는 역할을 한다.

사용자의 요청을 받아 모델을 통해 필요한 데이터를 가져오고, 그 데이터를 뷰에 전달하여 사용자에게 보여준다. 또한, 사용자의 입력을 받아 모델을 업데이트하거나, 특정 로직을 수행하는 등의 역할도 담당한다. 예를 들어, 사용자가 버튼을 클릭하면 그에 해당하는 액션을 처리하고, 결과를 뷰에 반영하는 것이다.

이러한 MVC 패턴의 가장 큰 장점은 코드의 분리가 명확해진다는 점이다. 즉, 모델, 뷰, 컨트롤러가 각각 독립적으로 동작하므로, 한 부분의 수정이 다른 부분에 영향을 최소화한다. 이는 코드의 재사용성을 높이고, 유지보수를 용이하게 한다. 예를 들어, UI를 변경하더라도 모델과 컨트롤러는 그대로 유지할 수 있으며, 반대로 데이터베이스 로직을 수정하더라도 UI나 사용자 입력 처리를 변경할 필요가 없다.

또한, MVC 패턴은 협업에 있어서도 유리하다. 여러 개발자가 동시에 다른 부분을 작업할 수 있기 때문이다. UI 디자이너는 뷰를, 백엔드 개발자는 모델을, 그리고 로직 개발자는 컨트롤러를 각각 작업함으로써 효율성을 높일 수 있다.

이와 같은 이유로 MVC 패턴은 복잡한 웹 애플리케이션 개발에 필수적인 디자인 패턴으로 자리잡았다. 이를 도입함으로써 코드의 가독성과 유지보수성을 향상시키고, 개발 효율성을 극대화할 수 있다.

매일 더 똑똑해지는 IT 교양서

ZERO TO ONE #1

『 66 』

회사에서 보안 관리를 맡고 있는 민수는 인터넷에서 URL을 전달 받았다. 거기에 있는 명령어를 그대로 복사해서 회사 서버에 입력하면 된다는 동료의 도움이었다. 민수는 명령어를 복사하기 전 명령어 중간에 개행 문자가 들어갔을 가능성을 검토해 보기로 했다. 민수가 이렇게 신중하게 행동한 이유는 무엇일까?

1. 개행 문자가 있으면 명령어가 중단될 수 있기 때문이다.

2. 개행 문자가 있으면 명령어가 여러 번 실행될 수도 있기 때문이다.

3. 개행 문자가 있으면 명령어가 무한 루프에 빠질 수 있기 때문이다.

4. 개행 문자가 있으면 명령어가 올바르게 실행되지 않을 수 있기 때문이다.

[정답]

4. 개행 문자가 있으면 명령어가 올바르게 실행되지 않을 수 있기 때문이다.

[해설]

인터넷에서 복사한 명령어를 그대로 사용하면 안 되는 이유는 주로 명령어 중간에 개행 문자가 들어있을 수 있기 때문이다. 명령어 중간에 개행 문자가 들어가면 명령어가 올바르게 실행되지 않을 수 있는 이유가 있다.

첫째, 개행 문자는 일반적으로 명령어의 끝을 나타낸다. 이는 셸이나 명령 프롬프트에서 명령어를 해석할 때, 개행 문자를 기준으로 명령어를 나누기 때문이다. 따라서 명령어 중간에 개행 문자가 포함되면, 원래 하나로 이어져야 할 명령어가 중간에서 잘려 나가게 된다. 이는 명령어의 논리적 흐름을 끊어버려, 의도한 순서대로 명령어가 실행되지 않는 결과를 초래한다.

둘째, 개행 문자가 포함된 명령어를 실행할 경우, 예상치 못한 동작을 할 수 있다. 예를 들어, 하나의 복잡한 명령어가 여러 줄로 나뉘어 실행되면, 각 줄마다 독립된 명령어로 해석될 수 있다. 이는 명령어 실행 순서에 영향을 미쳐, 전체 작업이 실패하거나 시스템에 예기치 않은 영향을 미칠 수 있다.

셋째, 보안상의 위험이 있다. 악의적인 사용자가 고의로 개행 문자를 삽입하여 명령어를 실행하게 할 수 있다. 이 경우, 명령어는 붙여넣는 순간 검토가 되지 않은 상태로 기능을 수행할 수 있으며, 운이 나쁘면 시스템에 심각한 보안 취약점을 노출시킬 수도 있다.

넷째, 사용자의 실수로 개행 문자가 들어갈 수도 있다. 명령어를 복사하여 붙여넣는 과정에서, 사용자가 실수로 개행 문자를 포함시킬 수 있다. 이는 명령어의 실행에 영향을 미쳐, 원래 의도한 작업을 수행하지 못하게 할 수 있다.

이러한 이유들로 인해, 인터넷에서 찾은 명령어를 그대로 복사하여 사용하기 전에 검토해야 한다. 명령어를 실행하기 전, 텍스트 편집기 등을 이용하여 명령어에 불필요한 개행 문자가 포함되어 있는지 확인하고, 필요한 경우 이를 제거하는 것이 좋다. 또한, 명령어의 논리적 흐름을 이해하고, 직접 작성하거나 신뢰할 수 있는 출처에서 제공된 명령어를 사용하는 것이 좋다.

결론적으로, 명령어 중간에 개행 문자가 들어 있으면 명령어가 올바르게 실행되지 않을 수 있기 때문에, 인터넷에서 복사한 명령어를 그대로 사용하지 않고 한번 더 검토하는 것이 중요하다. 민수가 이러한 이유로 인터넷에서 찾은 명령어를 그대로 사용하지 않고 검토한 것은 적합한 판단이다.

매일 더 똑똑해지는 IT 교양서

ZERO TO ONE #1

『 67 』

당신은 대규모 전자상거래 플랫폼의 개발 팀장이다. 기존의 코드베이스는 여러 개발자들이 누더기식 코딩을 통해 만든 것으로, 유지보수와 새로운 기능 추가가 점점 어려워지고 있다. 현 시점에서 최선의 해결책은 무엇인가?

1. 현재의 코드베이스를 그대로 유지하고, 주기적으로 코드 리뷰와 리팩토링을 통해 개선한다.

2. 새로운 프로젝트를 시작한 뒤 기존 시스템을 단계적으로 대체한다.

3. 외부 컨설팅 업체를 고용해 전체 코드베이스를 재검토하고, 문제를 해결하게 한다.

4. 내부 개발자들에게 누더기식 코딩의 장단점을 교육하고, 향후 코딩 표준을 강화한다.

[정답]

2. 새로운 프로젝트를 시작한 뒤 기존 시스템을 단계적으로 대체한다.

[해설]

누더기식 코딩은 여러 개발자가 각각의 필요에 따라 코드를 수정하고 추가하면서 생기는 현상이다. 이는 초기에 빠른 개발을 가능하게 하지만, 시간이 지나면서 코드가 복잡해지고 유지보수가 어려워지는 단점이 있다. 이렇게 된 코드베이스를 지속적으로 관리하는 것은 상당한 노력이 필요하다.

1번 선택지는 현재의 코드베이스를 유지하면서 주기적으로 코드 리뷰와 리팩토링을 통해 개선하는 것이다. 이는 일견 타당해 보이지만, 누더기식 코드의 근본적인 문제를 해결하기에는 부족하다. 리팩토링은 개별적인 코드 조각의 품질을 향상시킬 수 있지만, 전체적인 아키텍처의 문제나 시스템의 일관성 문제를 해결하기에는 한계가 있다. 특히, 누더기식 코딩의 특성상 코드의 전체적인 맥락을 이해하기 어렵고, 리팩토링 과정에서 새로운 버그가 발생할 가능성도 높다.

2번 선택지는 새로운 프로젝트를 시작해 기존 시스템을 단계적으로 대체하는 것이다. 이는 기존 시스템의 누더기식 코딩으로 인한 문제를 근본적으로 해결할 수 있는 방법이다. 새로운 시스템을 설계하면서 처음부터 일관된 코딩 표준과 아키텍처를 적용할 수 있고, 이는 장기적으로 유지보수와 기능 추가를 훨씬 용이하게 만든다. 물론, 새로운 시스템을 개발하는 데는 많은 시간과 비용이 들겠지만, 장기적인 관점에서 보면 이는 더 나은 투자일 수 있다.

3번 선택지는 외부 컨설팅 업체를 고용해 전체 코드베이스를 재검토하고, 문제를 해결하게 하는 것이다. 이는 단기적으로 효과적일 수 있지만, 외부 업체가 내부 시스템과 비즈니스 로직을 충분히 이해하지 못할 수 있다. 또한, 외부 업체가 제안한 해결책이 장기적으로 유효하지 않을 수 있으며, 비용 면에서도 비효율적일 수 있다. 무엇보다, 외부 업체가 떠난 후에도 내부 개발자들이 지속적으로 시스템을 유지보수할 수 있도록 충분한 지식과 기술을 전수받지 못할 가능성이 크다.

4번 선택지는 내부 개발자들에게 누더기식 코딩의 장단점을 교육하고, 향후 코딩 표준을 강화하는 것이다. 이는 개발자들의 역량을 높이고, 향후 유사한 문제를 예방하는 데 도움을 줄 수 있다. 그러나 현재의 누더기식 코드베이스를 근본적으로 개선하는 데는 한계가 있다. 이미 복잡하게 얽힌 코드를 단순히 코딩 표준을 강화한다고 해서 쉽게 해결할 수 있는 문제가 아니다.

누더기식 코딩의 장점으로는 빠른 개발 속도와 초기 비용 절감이 있다. 이는 특히 스타트업이나 초기 단계의 프로젝트에서 유용할 수 있다. 그러나 단점으로는 코드의 복잡성과 유지보수의 어려움, 그리고 장기적인 비용 증가가 있다. 누더기식 코딩을 장기적으로 유지하는 것은 비효율적이며, 시스템의 안정성과 확장성을 저해할 수 있다.

따라서, 현재의 문제를 근본적으로 해결하기 위해서는 새로운 프로젝트를 시작해 기존 시스템을 단계적으로 대체하는 것이 가장 바람직하다. 이는 초기에는 많은 자원이 필요할 수 있지만, 장기적으로 더 나은 품질의 시스템을 구축하고 유지보수 비용을 절감할 수 있다. 또한, 새로운 시스템을 개발하면서 일관된 코딩 표준과 아키텍처를 적용하면, 향후 비슷한 문제가 발생하는 것을 예방할 수 있다.

『 68 』

어느 날, 개발자인 철수는 친구 영희에게 자신이 만든 새로운 소프트웨어를 보여주고 있었다. 이 소프트웨어는 특정 데이터 배열을 처리하는 프로그램이었다. 영희는 철수의 프로그램을 보더니, 배열의 인덱스가 0부터 시작하는 것을 발견하고 질문을 던졌다. "왜 배열의 인덱스는 1이 아니라 0부터 시작하는 거야?" 다음 중 철수가 영희에게 알려줄 내용으로 적절한 것은?

1. 컴퓨터의 메모리 주소가 0부터 시작해서 배열 인덱스도 자연스럽게 0부터 시작하게 되었다.

2. 프로그래밍 언어 설계 시 인간의 직관에 맞추기 위해 인덱스를 0부터 시작하게 설계했다.

3. 수학적 논리와 일관성을 위해 배열 인덱스를 0부터 시작하도록 결정했다.

4. 컴퓨터가 비트 단위로 데이터를 처리하므로 배열의 인덱스가 0부터 시작한다.

[정답]

1. 컴퓨터의 메모리 주소가 0부터 시작해서 배열 인덱스도 자연스럽게 0부터 시작하게 되었다.

[해설]

배열의 인덱스가 0부터 시작하는 이유는 컴퓨터의 메모리 주소 체계와 깊은 연관이 있다. 컴퓨터의 메모리는 연속된 주소를 가진 바이트들의 집합으로, 이 주소는 0부터 시작한다. 예를 들어, 어떤 배열이 [10, 20, 30]이라는 데이터로 구성되어 있다고 하자. 이 배열의 첫 번째 요소는 메모리의 0번지 주소에 저장되고, 두 번째 요소는 그 다음 주소에, 세 번째 요소는 또 그 다음 주소에 저장된다.

이렇게 메모리 주소가 0부터 시작하는 이유는 하드웨어 설계와 관련이 있다. 메모리 관리와 주소 계산을 단순화하기 위해 메모리 주소는 0부터 시작하는 것이 효율적이다. 특히, 배열의 인덱스를 0부터 시작하면 첫 번째 요소의 주소를 계산할 때 단순히 '베이스 주소 + 0'이라는 계산만 필요하다. 만약 인덱스를 1부터 시작한다면, 메모리의 첫 번째 요소의 주소를 나타내기 위해 '베이스 주소 + (1 - 1)'로 계산해야 하는데, 이는 불필요하게 복잡해진다.

또한, 컴퓨터 과학에서 사용하는 다양한 데이터 구조와 알고리즘에서도 인덱스 0부터 시작하는 것이 많은 이점을 제공한다. 예를 들어, 배열의 첫 요소를 찾는 알고리즘에서는 단순히 인덱스 0을 참조하면 된다. 이는 계산을 단순하게 만들고, 코드의 가독성을 높이며, 오류를 줄이는 데 기여한다.

뿐만 아니라, 이러한 설계 방식은 역사가 길다. 1960년대에 만들어진 C 언어가 배열 인덱스를 0부터 시작하도록 설계된 것은 이러한 메모리 주소 체계와 계산의 단순화를 고려한 결과였다. C 언어는 오늘날 많은 프로그래밍 언어의 기초가 되었으며 이 전통은 현대의 다양한 언어들에 계승되었다.

따라서 배열의 인덱스가 0부터 시작하는 것은 단순히 컴퓨터 메모리의 주소 체계와 하드웨어 설계의 효율성을 반영한 것이며, 이는 이후의 많은 프로그래밍 언어와 컴퓨터 과학 전반에 걸쳐 중요한 원칙이 되었다. 이러한 이유로 인해 철수는 영희에게 "컴퓨터의 메모리 주소가 0부터 시작해서 배열 인덱스도 자연스럽게 0부터 시작하게 되었다"라고 설명한 것이다.

결론적으로, 배열의 인덱스가 0부터 시작하는 것은 메모리 주소 체계와 효율성, 계산의 단순화, 그리고 역사적인 설계 선택들이 종합적으로 작용한 결과이다. 이러한 배경을 이해하면 왜 많은 프로그래밍 언어에서 배열의 인덱스를 0부터 시작하는지 더 명확하게 알 수 있을 것이다.

매일 더 똑똑해지는 IT 교양서

ZERO TO ONE #1

『 69 』

당신은 IT 기업의 한 개발자이다. 이번에 새로 도입된 코드 표준 가이드라인을 팀원들과 함께 토의하고 있다. 그러던 중 팀원 한 명이 생소하다며 "낙타등 표기법"에 대해 질문한다. 이와 관련된 설명으로 옳은 것을 고르시오.

1. 낙타등 표기법은 단어의 첫 글자를 소문자로 시작하고, 이후 각 단어의 첫 글자를 대문자로 표기하는 방식이다. 예: myVariableName

2. 낙타등 표기법은 모든 단어를 대문자로 시작하고, 단어 사이에 언더스코어(_)를 넣는 방식이다. 예: My_Variable_Name

3. 낙타등 표기법은 모든 단어의 첫 글자를 소문자로 시작하고, 각 단어를 하이픈(-)으로 연결하는 방식이다. 예: my-variable-name

4. 낙타등 표기법은 각 단어의 첫 글자를 소문자로 시작하고, 단어 사이를 공백으로 구분하는 방식이다. 예: my variable name

[정답]

1. 낙타등 표기법은 단어의 첫 글자를 소문자로 시작하고, 이후 각 단어의 첫 글자를 대문자로 표기하는 방식이다. 예: myVariableName

[해설]

낙타등 표기법(CamelCase)은 프로그래밍 언어에서 변수나 함수 이름을 작성할 때 많이 사용되는 표기법 중 하나이다. 이 표기법은 단어가 붙여져 있을 때 각 단어의 시작 부분을 대문자로 표기하여 가독성을 높이는 것이 특징이다. 낙타등이라는 이름은 이 표기법으로 작성된 단어들이 마치 낙타의 등에 있는 혹처럼 보인다는 데서 유래되었다.

낙타등 표기법의 사용법은 간단하다. 첫 번째 단어는 소문자로 시작하고, 두 번째 단어부터는 각 단어의 첫 글자를 대문자로 표기한다. 예를 들어, "myVariableName"이라는 변수명은 "my"가 첫 번째 단어이고, "Variable"과 "Name"이 두 번째와 세 번째 단어이기 때문에 각각의 첫 글자를 대문자로 표기한다.

낙타등 표기법에는 두 가지 주요 종류가 있다. 첫 번째는 첫 번째 단어의 첫 글자를 소문자로 쓰고 나머지 단어들의 첫 글자를 대문자로 쓰는 소문자 낙타등 표기법(lower camel case)이다. 예를 들어, "myVariableName"이 이에 해당한다. 두 번째는 모든 단어의 첫 글자를 대문자로 쓰는 대문자 낙타등 표기법(upper camel case)이다. 예를 들어, "MyVariableName"이 이에 해당한다. 하지만 일반적으로 낙타등 표기법이라고 하면 소문자 낙타등 표기법을 지칭하는 경우가 많다.

낙타등 표기법은 다양한 프로그래밍 언어에서 사용된다. 예를 들어, 자바(Java), 자바스크립트(JavaScript), 파이썬(Python) 등 많은 언어에서 변수명과 함수명을 작성할 때 이 표기법을 사용한다. 이러한 언어에서는 낙타등 표기법을 사용함으로써 코드의 가독성과 일관성을 유지할 수 있다. 예를 들어, 자바스크립트에서는 변수명을 작성할 때 주로 소문자 낙타등 표기법을 사용한다.

낙타등 표기법의 장점 중 하나는 가독성을 높이는 것이다. 단어 사이에 구분이 없어도 각 단어의 시작이 대문자로 되어 있어 쉽게 읽을 수 있다. 또한, 낙타등 표기법은 언더스코어(_)나 하이픈(-) 등을 사용하지 않기 때문에 간결하고 깔끔한 코드를 작성할 수 있다.

그러나 낙타등 표기법을 사용하더라도 너무 긴 변수명을 사용할 경우 가독성이 떨어질 수 있다. 따라서 적절한 길이의 변수명을 사용하는 것이 좋다. 또한, 코드의 일관성을 유지하기 위해 팀 내에서 낙타등 표기법을 표준으로 정하고 모두가 따르는 것도 중요하다.

정리하자면, 낙타등 표기법은 변수명과 함수명을 작성할 때 각 단어의 첫 글자를 대문자로 표기하여 가독성을 높이는 표기법이다. 이 표기법을 사용함으로써 코드를 더 쉽게 읽고 이해할 수 있으며, 일관된 코드 스타일을 유지할 수 있다. 낙타등 표기법을 잘 활용하면 더 나은 코드를 작성할 수 있다.

매일 더 똑똑해지는 IT 교양서

ZERO TO ONE #1

『 70 』

당신은 오랜 시간 동안 IT 업계에서 일해왔다. 최근 당신이 관리하는 팀은 대규모의 새로운 소프트웨어 시스템을 설계하고 있다. 이번 프로젝트의 핵심 부분은 복잡한 데이터 구조를 효율적으로 설계하고 구현하는 것이다. 팀원들이 바텀업(bottom-up) 접근 방식과 탑다운(top-down) 접근 방식 중 어느 것이 더 효과적인지에 대해 논의하고 있다. 두 접근 방식 모두 장단점이 있으며, 최적의 결과를 얻기 위해서는 상황에 따라 적절한 방식을 선택해야 한다.

다음 중 이 프로젝트에 대해 바텀업과 탑다운 접근 방식을 각각 고려했을 때, 어떤 상황에서 바텀업 접근 방식이 더 효과적일지를 설명한 것이 맞는 것은 무엇인가?

1. 시스템의 전체 아키텍처가 명확하지 않고, 하위 모듈을 먼저 개발한 후 이를 조합하여 시스템을 완성하는 것이 더 효율적인 경우

2. 시스템의 상위 설계가 명확히 정해져 있고, 이를 바탕으로 하위 모듈을 설계 및 구현하는 것이 더 효율적인 경우

3. 시스템의 요구사항이 자주 변경되어 전체 아키텍처를 먼저 설계하는 것이 중요한 경우

4. 시스템의 상위 구조가 자주 변경되지 않으며, 하위 모듈보다는 전체 시스템의 통합이 더 중요한 경우

[정답]

1. 시스템의 전체 아키텍처가 명확하지 않고, 하위 모듈을 먼저 개발한 후 이를 조합하여 시스템을 완성하는 것이 더 효율적인 경우

[해설]

바텀업(bottom-up) 접근 방식과 탑다운(top-down) 접근 방식은 소프트웨어 설계 및 개발에서 중요한 전략적 선택이다. 바텀업 접근 방식은 하위 모듈을 먼저 개발한 후, 이들을 결합하여 더 큰 시스템을 구성하는 방식이다. 반면, 탑다운 접근 방식은 시스템의 상위 아키텍처를 먼저 설계한 후, 이를 기반으로 하위 모듈을 개발하는 방식이다.

바텀업 접근 방식은 다음과 같은 상황에서 효과적이다. 첫째, 시스템의 전체 아키텍처가 명확하지 않은 경우이다. 이런 경우, 하위 모듈을 먼저 개발하면, 전체 시스템의 윤곽을 조금씩 잡아나가면서 설계할 수 있다. 이는 프로젝트 초기 단계에서 전체 그림이 불확실할 때 유용하다. 예를 들어, 새로운 기술이나 도메인을 다룰 때, 하위 모듈을 먼저 실험하고 테스트해보면서 전체 시스템을 점진적으로 완성해 나가는 방식이 더 효과적일 수 있다.

둘째, 시스템의 요구사항이 자주 변경되는 경우이다. 요구사항이 자주 변하면, 전체 아키텍처를 먼저 설계하는 탑다운 방식은 비

효율적일 수 있다. 반면, 바텀업 방식은 각 하위 모듈을 독립적으로 개발할 수 있기 때문에, 요구사항 변경에 유연하게 대응할 수 있다. 예를 들어, 고객의 요구가 자주 변경되는 프로젝트에서는 하위 모듈을 독립적으로 개발하여 변경된 요구사항을 반영하기 쉽다.

셋째, 프로젝트 팀이 하위 모듈에 대한 전문성을 가지고 있을 때이다. 팀이 특정 하위 모듈에 대해 깊은 이해와 경험을 가지고 있다면, 이 모듈을 먼저 개발하고 이를 기반으로 시스템을 구축하는 것이 효과적이다. 이는 하위 모듈의 품질을 높이고, 전체 시스템의 안정성을 보장하는 데 도움이 된다.

반면, 탑다운 접근 방식은 상위 아키텍처가 명확히 정해져 있고, 이를 기반으로 하위 모듈을 설계 및 구현하는 것이 더 효율적인 경우에 적합하다. 이는 전체 시스템의 일관성을 유지하고, 각 모듈 간의 통합을 쉽게 할 수 있다는 장점이 있다. 특히, 시스템의 상위 구조가 자주 변경되지 않고, 요구사항이 명확히 정의된 경우, 탑다운 접근 방식이 더 적합하다.

예를 들어, 대규모 엔터프라이즈 시스템이나 정부 프로젝트처럼 요구사항이 명확하고, 상위 아키텍처가 자주 변경되지 않는 경우, 탑다운 방식이 더 적합하다. 또한, 이 방식은 시스템의 통합을 쉽게 하고, 전체 프로젝트의 방향성을 명확히 하는 데 도움이 된다.

결론적으로, 바텀업 접근 방식은 시스템의 전체 아키텍처가 명확하지 않거나, 요구사항이 자주 변경되며, 팀이 하위 모듈에 대한 전문성을 가지고 있을 때 효과적이다. 반면, 탑다운 접근 방식은 상위 아키텍처가 명확하고, 요구사항이 안정적이며 시스템의 일관성과 통합이 중요한 경우에 더 적합하다. 상황에 따라 적절한 접근 방식을 선택하는 것이 중요하며, 이는 프로젝트의 성공 여부를 좌우할 수 있다.

매일 더 똑똑해지는 IT 교양서

ZERO TO ONE #1

『 71 』

당신은 소프트웨어 개발 회사의 경력 있는 개발자이다. 이번에 새로운 팀원들을 교육하는 역할을 맡았다. 팀원들에게 변수 이름을 지을 때 사용하는 표기법에 대해 교육하면서, 아래 네 가지 방식 중 어떤 것이 가장 적절한지 토의하는 시간을 가졌다. 각 표기법의 특징과 차이를 잘 이해하고 선택해보자.

다음 중 변수 이름을 짓기 위해 낙타등 표기법(Camel Case), 파스칼 표기법(Pascal Case), 스네이크 표기법(Snake Case), 케밥 표기법(Kebab Case)을 비교한 설명으로 정확한 것은?

1. 낙타등 표기법은 첫 번째 단어를 소문자로 시작하고, 각 단어의 첫 글자를 대문자로 작성한다. 파스칼 표기법은 모든 단어의 첫 글자를 대문자로 작성한다. 스네이크 표기법은 단어 사이에 밑줄(_)을 사용하며 모두 소문자로 작성한다. 케밥 표기법은 단어 사이에 하이픈(-)을 사용하며 모두 소문자로 작성한다.

2. 낙타등 표기법과 파스칼 표기법은 모두 첫 단어를 대문자로 시작한다. 스네이크 표기법과 케밥 표기법은 모두 첫 단어를 소문자로 시작하지만, 스네이크 표기법은 밑줄을 사용하고 케밥 표기법은 하이픈을 사용한다.

3. 낙타등 표기법과 파스칼 표기법은 단어 사이에 공백 대신 대문자를 사용하여 구분한다. 스네이크 표기법과 케밥 표기법은 각각 밑줄과 하이픈을 사용하며, 두 표기법 모두 대문자를 사용하지 않는다.

4. 낙타등 표기법은 각 단어의 첫 글자를 소문자로 시작하고, 나머지 단어의 첫 글자를 대문자로 작성한다. 파스칼 표기법은 각 단어의 첫 글자를 대문자로 작성한다. 스네이크 표기법은 단어 사이에 밑줄을 사용하고 소문자로 작성한다. 케밥 표기법은 단어 사이에 하이픈을 사용하고 대문자로 작성한다.

[정답]

1. 낙타등 표기법은 첫 번째 단어를 소문자로 시작하고, 각 단어의 첫 글자를 대문자로 작성한다. 파스칼 표기법은 모든 단어의 첫 글자를 대문자로 작성한다. 스네이크 표기법은 단어 사이에 밑줄(_)을 사용하며 모두 소문자로 작성한다. 케밥 표기법은 단어 사이에 하이픈(-)을 사용하며 모두 소문자로 작성한다.

[해설]

변수 이름을 짓는 표기법에는 여러 가지 방식이 있다. 대표적으로 낙타등 표기법(Camel Case), 파스칼 표기법(Pascal Case), 스네이크 표기법(Snake Case), 케밥 표기법(Kebab Case)이 있다. 이 표기법들은 변수 이름을 읽기 쉽게 하고 더 명확한 코드를 작성하기 위해 사용된다. 각 표기법은 어떤 상황에서 사용하는 것이 좋은지, 그 특징이 무엇인지를 이해하는 것이 중요하다.

낙타등 표기법(Camel Case)은 변수 이름의 첫 단어를 소문자로 시작하고, 이후 각 단어의 첫 글자를 대문자로 작성한다. 예를 들어, "userName"과 같은 식이다. 이 방식은 자바스크립트와 같은 언어에서 자주 사용된다. 낙타등 표기법의 장점은 변수 이름을 한눈에 알아보기 쉽게 한다는 점이다.

파스칼 표기법(Pascal Case)은 각 단어의 첫 글자를 대문자로 작성한다. 예를 들어, "UserName"과 같은 식이다. 이 표기법은 C#, Delphi 등에서 주로 사용된다. 클래스 이름, 구조체 이름 등과 같은 대문자로 시작하는 이름을 작성할 때 주로 사용된다. 파스칼 표기법의 장점은 각 단어의 경계가 명확하여 읽기 쉽다는 점이다.

스네이크 표기법(Snake Case)은 단어 사이에 밑줄(_)을 사용하고, 모든 글자를 소문자로 작성한다. 예를 들어, "user_name"과 같은 식이다. 이 표기법은 Ruby 등에서 사용된다. 스네이크 표기법의 장점은 단어 간의 구분이 명확하여 가독성이 높다는 점이다. 또한, 모든 글자가 소문자이므로, 대소문자 구분이 까다로운 환경에서도 오류가 줄어든다.

케밥 표기법(Kebab Case)은 단어 사이에 하이픈(-)을 사용하고, 모든 글자를 소문자로 작성한다. 예를 들어, "user-name"과 같은 식이다. 이 표기법은 HTML이나 URL에서 자주 사용된다. 케밥 표기법의 장점은 단어의 경계를 명확하게 하고, 웹 환경에서의 호환성을 높인다는 점이다. 다만, 대부분의 프로그래밍 언어에서는 변수 이름에 하이픈을 사용할 수 없기 때문에 변수 이름보다는 파일 이름이나 URL에서 주로 사용된다.

각 표기법은 그 용도와 장단점이 명확하므로, 상황에 맞게 적절한 표기법을 선택하는 것이 중요하다. 정답인 1번 선택지는 각각의 표기법의 특징을 적절히 설명하고 있다. 반면, 다른 선택지들은 각각의 표기법의 특징을 혼동하거나 일부 부정확하게 설명하고 있다. 2번 선택지는 낙타등 표기법과 파스칼 표기법이 첫 단어를 대문자로 시작한다고 잘못 설명하고 있다. 3번 선택지는 스네이크 표기법과 케밥 표기법이 대문자를 사용하지 않는다고만 설명하고, 정확한 특징을 설명하지 않는다. 4번 선택지는 케밥 표기법이 대문자를 사용한다고 잘못 설명하고 있다.

각 표기법의 특징을 정확하게 이해하고 상황에 맞게 적절한 표기법을 선택하는 것은 코드의 가독성과 유지보수성을 높이는 데 매우 중요하다. 표기법을 일관되게 사용하는 것도 좋은 습관 중 하나이다. 새로운 팀원들이 이러한 표기법을 잘 이해하고 활용할 수 있도록 교육하는 것이 중요하다.

매일 더 똑똑해지는 IT 교양서

ZERO TO ONE #1

『 72 』

당신은 글로벌 소프트웨어 기업에서 근무하고 있다. 회사는 최근에 중요한 금융 애플리케이션을 개발 중이며, 이 애플리케이션은 고객의 민감한 금융 데이터를 다루기 때문에 매우 높은 보안성과 유지 보수성을 요구한다. 어느 날 팀원 중 한 명이 다음과 같은 코드를 작성했다:

```
def process_transaction(transaction):
    user_balance = get_user_balance(transaction.user_id)
    if user_balance >= transaction.amount:
        new_balance = user_balance - transaction.amount
        update_user_balance(transaction.user_id, new_ba
                     lance)
        log_transaction(transaction)
        return True
    else:
        return False
```

이 코드는 기본적인 기능을 수행하지만, 클린 코드 원칙에 따라 개선할 필요가 있다. 클린 코드는 가독성, 유지보수성, 확장성,

그리고 보안성을 모두 고려해야 한다. 다음 중 클린 코드 원칙에 가장 부합하는 개선 방법은 무엇인가?

1. 함수의 길이를 줄이기 위해 모든 로직을 한 줄로 작성한다.

2. 함수의 책임을 명확히 하기 위해 로직을 여러 개의 작은 함수로 나눈다.

3. 코드의 실행 속도를 높이기 위해 모든 에러 처리를 생략한다.

4. 코드의 가독성을 높이기 위해 모든 변수 이름을 한 글자로 줄인다.

[정답]

2. 함수의 책임을 명확히 하기 위해 로직을 여러 개의 작은 함수로 나눈다.

[해설]

클린 코드는 소프트웨어 개발에서 매우 중요한 개념이다. 클린 코드는 단순히 동작하는 코드 이상의 의미로, 그 코드가 얼마나 쉽게 읽히고 이해될 수 있는지 그리고 유지보수와 확장성이 얼마나 좋은지를 의미한다. 로버트 C. 마틴이 쓴 "클린 코드" 책에서 클린 코드는 "언제나 코드를 읽는 사람이 이해하기 쉽게 작성된 코드"라고 정의했다.

이번 문제에서 주어진 코드는 기본적인 거래 처리를 수행하지만, 클린 코드의 관점에서 볼 때 여러 가지 개선할 부분이 있다. 우선, 함수가 한 가지 책임만 갖도록 로직을 여러 개의 작은 함수로 나누는 것이 중요하다. 이는 '단일 책임 원칙(Single Responsibility Principle, SRP)'이라고 불리며, 하나의 함수나 클래스는 하나의 기능만 담당해야 한다는 원칙이다. 예를 들어, `process_transaction` 함수는 현재 사용자 잔액을 가져오고, 거래 금액을 확인하고, 잔액을 업데이트하고, 거래를 로그하는 여러 가지 작업을 하고 있다. 이러한 여러 책임을 각각의 함수로 분리하면, 각 함수의 역할이 명확해져 코드의 가독성이 높아지고, 유지보수가 쉬워진다.

또한, 코드의 가독성을 높이는 것은 매우 중요하다. 예를 들어, `user_balance`와 같은 변수명은 그 변수가 무엇을 의미하는지 명확히 나타내지만, 만약 이를 `ub`와 같은 한 글자로 줄인다면, 코드를 읽는 사람이 그 변수가 무엇을 나타내는지 이해하는 데 어려움을 겪을 수 있다. 따라서 변수명은 코드의 의도를 명확히 전달할 수 있도록 의미 있는 이름을 사용하는 것이 좋다.

클린 코드는 또한 보안성을 고려해야 한다. 주어진 코드에서는 거래 금액이 충분하지 않을 때 아무런 로그도 남기지 않고 단순히 `False`를 반환한다. 이는 보안적인 관점에서 문제가 될 수 있다. 모든 거래 시도를 로그에 기록하여 어떤 일이 발생했는지 추적할 수 있어야 한다. 이러한 로그는 나중에 문제가 발생했을 때 원인을 파악하는 데 중요한 역할을 한다.

결론적으로, 클린 코드를 작성하는 것은 단순히 코드를 짧게 쓰는 것이 아니라, 코드의 가독성, 유지보수성, 확장성, 그리고 보안성을 모두 고려하는 것이다. 이는 함수와 클래스가 하나의 책임만 갖도록 하고, 의미 있는 변수명을 사용하며, 모든 에러를 적절히 처리하고 로그를 남기는 등 다양한 원칙을 준수하는 것을 의미한다. 따라서 주어진 상황에서 `process_transaction` 함수를 여러 개의 작은 함수로 나누는 것이 클린 코드 원칙에 가장 부합하는 개선 방법이다.

매일 더 똑똑해지는 IT 교양서

ZERO TO ONE #1

『 73 』

컴퓨터 과학 연구소에서 무작위 수를 생성하는 알고리즘의 완전한 무작위성을 검증하는 프로젝트를 진행하고 있다. 연구팀은 새로운 알고리즘 '랜덤X'를 테스트 중이다. 아래의 방법 중 어떤 것이 '랜덤X'가 수학적으로 완전한 무작위성을 가지는지 이론적으로 검증하는 데 가장 적절한 방법인가?

1. '랜덤X'를 이용해 수십억 개의 무작위 수를 생성하고 그 결과를 통계적으로 분석하여 균일한 분포를 확인한다.

2. '랜덤X'의 내부 구조와 동작 방식을 수학적으로 분석하여 이론적으로 무작위성이 입증되는지 확인한다.

3. '랜덤X'로 생성된 수를 기존의 무작위성 테스트들을 통해 검증하여 그 테스트들을 통과하는지 확인한다.

4. '랜덤X'를 실제 응용 프로그램에서 사용하여 그 결과가 현실 세계에서 무작위성의 요구사항을 충족하는지 확인한다.

[정답]

2. '랜덤X'의 내부 구조와 동작 방식을 수학적으로 분석하여 이론적으로 무작위성이 입증되는지 확인한다.

[해설]

무작위 수를 생성하는 알고리즘, 즉 난수 생성기(Random Number Generator, RNG)의 무작위성을 검증하는 것은 매우 복잡한 문제이다. 여기서 다루는 '무작위성'은 단순히 사람들이 직관적으로 생각하는 랜덤함과는 다르다. 수학적으로 완전한 무작위성은 여러 중요한 속성을 만족해야 하며, 이를 만족하지 못할 경우 다양한 문제를 초래할 수 있다.

1번 선택지는 많은 사람이 생각할 수 있는 방법이다. '랜덤X'를 이용해 수십억 개의 무작위 수를 생성하고 그 결과를 통계적으로 분석하여 균일한 분포를 확인하는 방법이다. 이는 무작위성을 평가하는 중요한 단계이다. 통계적으로 균일한 분포를 보인다고 해서 반드시 수학적으로 완전한 무작위성을 보장하지 않지만, 이는 RNG의 품질을 평가하는 데 매우 유용하다. 그러나, 이는 표면적인 특성만을 확인할 뿐, 알고리즘이 본질적으로 무작위성을 갖추고 있는지를 보장하지는 않는다.

2번 선택지는 '랜덤X'의 내부 구조와 동작 방식을 수학적으로 분석하여 이론적으로 무작위성이 입증되는지 확인하는 것이다. 이 방법이 가장 적절한 이유는 RNG가 수학적으로 무작위성을 갖추고 있는지를 직접적으로 검증할 수 있기 때문이다. 수학적 분석을 통해 알고리즘이 이론적으로 무작위성을 보장하는지 확인하는 것은 필수적이다. 예를 들어, 복잡도 이론, 해싱 함수, 수학적 귀납법 등을 사용해 특정 알고리즘이 무작위성을 보장하는지 확인할 수 있다. 특히, 암호학적 용도로 사용되는 난수 생성기는 더욱 엄격한 수학적 검증을 필요로 한다. 이러한 이론적 검증은 알고리즘이 근본적으로 무작위성을 가지고 있는지를 확인하는 강력한 방법이다.

3번 선택지는 '랜덤X'로 생성된 수를 기존의 무작위성 테스트들을 통해 검증하는 것이다. 이는 무작위성을 검증하는 데 유용한 방법이다. 기존의 테스트들은 특정 패턴이나 이상치를 발견하는 데 유용하며, 다양한 테스트를 통해 RNG의 무작위성을 평가할 수 있다. 예를 들어, Diehard 테스트, TestU01, NIST SP800-22와 같은 다양한 무작위성 테스트들을 통해 RNG의 성능을 평가할 수 있다. 이러한 테스트들은 RNG의 품질을 평가하는 데 필수적이다. 그러나, 이러한 테스트들은 알고리즘이 본질적으로 무작위성을 가지고 있는지를 보장하는 것은 아니다.

4번 선택지는 '랜덤X'를 실제 응용 프로그램에서 사용하여 그 결과가 현실 세계에서 무작위성의 요구사항을 충족하는지 확인하는 것이다. 이 방법은 현실적이지만, 무작위성의 검증보다는 해당 응용 프로그램의 특정 요구사항을 충족하는지 확인하는 것에 가깝다. 실제 응용 프로그램에서는 여러 요인이 결합되기 때문에, 순수하게 '랜덤X'의 무작위성만을 평가하는 것은 어렵다. 이는 다른 방법들과 함께 사용될 때 중요한 역할을 한다.

결론적으로, '랜덤X'가 수학적으로 완전한 무작위성을 가지는지 이론적으로 확인하기 위해서는 2번 선택지와 같이 내부 구조와 동작 방식을 수학적으로 분석하는 것이 가장 적절하다. 이는 알고리즘이 근본적으로 무작위성을 가지고 있는지를 확인하는 가장 강력한 방법이다. 그러나 현실에서 무작위성을 완전히 검증하기 위해서는 수학적 분석과 함께 통계적 테스트를 병행하는 것이 중요하다. 수학적 분석은 이론적 무작위성을, 통계적 테스트는 실제 환경에서의 무작위성을 검증하는 데 필수적이다. 이 두 가지 접근법을 통해 RNG의 무작위성을 종합적으로 평가할 수 있다.

『 74 』

소프트웨어 엔지니어인 철수는 최근에 인공지능(AI) 알고리즘을 개발하는 프로젝트를 맡았다. 이 프로젝트는 방대한 양의 데이터를 처리하고, 최적화 문제를 해결하는 것이 핵심이다. 철수는 프로젝트를 성공적으로 완료하기 위해 수학을 공부해야 할지 고민하고 있다. 그는 수학이 컴퓨터와 어떻게 연관되는지 잘 모르지만 시간을 효율적으로 사용하고 싶다. 다음 중 철수가 수학을 공부해야 하는 이유로 가장 적절한 것은 무엇인가?

1. 수학은 알고리즘의 효율성을 분석하고 최적화하는 데 필수적이다.

2. 수학은 프로그래밍 언어의 문법을 이해하는 데 중요하다.

3. 수학은 소프트웨어 개발 도구의 사용법을 익히는 데 도움이 된다.

4. 수학은 데이터베이스 관리 시스템을 설치하는 데 필요하다.

[정답]

1. 수학은 알고리즘의 효율성을 분석하고 최적화하는 데 필수적이다.

[해설]

철수가 고민하고 있는 것처럼, 컴퓨터와 수학은 매우 밀접하게 연관되어 있다. 특히, AI 알고리즘을 개발하고 최적화하는 프로젝트를 맡고 있는 철수에게 수학은 필수적이다.

첫째, 수학은 알고리즘의 효율성을 분석하고 최적화하는 데 필수적이다. 알고리즘은 문제를 해결하기 위한 단계적 절차를 의미하며, 이 절차가 얼마나 빠르고 효율적으로 실행되는지 분석하는 것이 중요하다. 이를 위해서는 수학적 지식이 필요하다. 예를 들어, 알고리즘의 시간 복잡도를 분석하는 것은 수학적 개념인 빅오 표기법(Big O notation)을 이해하는 것에서 시작한다. 빅오 표기법은 알고리즘의 성능을 나타내는 데 사용되는 표기법으로, 알고리즘이 실행되는 데 필요한 시간을 함수 형태로 표현한다. 이를 통해 알고리즘의 효율성을 비교하고, 더 나은 알고리즘을 설계할 수 있다.

둘째, 최적화 문제를 해결하기 위해서도 수학은 필수적이다. 최적화 문제란 주어진 자원 내에서 최상의 결과를 도출하는 문제를 말한다. 예를 들어, 인공지능 알고리즘에서 학습률(learning rate)을 최적화하는 문제는 수학적 최적화 기법을 통해 해결할 수 있다. 경사 하강법(Gradient Descent) 같은 기법은 미분과 같은 수학적 개념을 활용하여 손실 함수(loss function)를 최소화하는 방향으로 학습률을 조정한다. 이러한 과정에서 수학적 지식이 없다면, 효과적인 최적화 기법을 이해하고 적용하는 데 한계가 있다.

셋째, 데이터의 처리와 분석 또한 수학적 지식이 필요하다. AI 프로젝트에서 데이터는 핵심 자원이며, 이를 효과적으로 처리하고 분석하는 능력은 성공적인 프로젝트 완료의 열쇠이다. 통계학은 데이터를 분석하고, 의미 있는 결론을 도출하는 데 중요한 역할을 한다. 예를 들어, 회귀 분석(Regression Analysis)은 데이터 포인트들 사이의 관계를 분석하는 데 사용되며, 이는 예측 모델을 만드는 데 필수적이다. 회귀 분석은 수학적 모델을 기반으로 하며, 이를 이해하고 적용하기 위해서는 수학적 지식이 필요하다.

반면, 수학이 프로그래밍 언어의 문법을 이해하는 데 중요하거나, 소프트웨어 개발 도구의 사용법을 익히는 데 직접적으로 도움이 되는 것은 아니다. 프로그래밍 언어의 문법은 주로 해당 언어의 구조와 규칙을 이해하는 것이며, 이는 수학적 지식보다 언어 자체에 대한 이해가 필요하다. 또한, 소프트웨어 개발 도구의 사용법은 실습과 경험을 통해 습득되는 경우가 많다. 수학적 지식은 이러한 도구를 사용하는 데 직접적인 영향을 미치지 않는다.

데이터베이스 관리 시스템을 설치하는 데도 수학적 지식이 필수적이지 않다. 데이터베이스 관리 시스템의 설치는 주로 시스템 관리와 관련된 지식을 요구하며, 이는 네트워크, 운영체제, 보안 등과 더 밀접하게 관련되어 있다. 물론, 데이터베이스의 효율적인 설계와 쿼리 최적화는 수학적 지식이 도움이 될 수 있지만, 설치와 사용하는 것에 있어서는 그다지 영향을 미치지 않는다.

따라서, 철수가 AI 알고리즘을 성공적으로 개발하고 최적화하기 위해서는 수학을 공부하는 것이 매우 중요하다. 수학적 지식은 알고리즘의 효율성을 분석하고, 최적화 문제를 해결하며, 데이터를 처리하고 분석하는 데 핵심적인 역할을 한다. 이는 철수가 맡은 프로젝트를 성공적으로 완료하는 데 필수적인 요소이다.

『 75 』

소프트웨어 개발 시 사용되는 디버그(debug)라는 용어의 유래에 관한 설명으로 옳은 것을 고르시오.

1. 1940년대 초반, 영국의 컴퓨터 과학자인 앨런 튜링이 에니그마 해독기에서 발견한 오류를 제거하면서 사용한 용어이다.

2. 1940년대 중반, 미국의 컴퓨터 과학자인 그레이스 호퍼가 마크 II 컴퓨터에서 발견된 나방을 제거하면서 처음 사용한 용어이다.

3. 1950년대, IBM에서 개발한 메인프레임 컴퓨터의 초기 모델에서 발생한 전자기적 오류를 해결하면서 만들어진 용어이다.

4. 1960년대, ARPANET의 초기 개발자들이 네트워크 상의 버그를 수정하면서 사용하기 시작한 용어이다.

[정답]

2. 1940년대 중반, 미국의 컴퓨터 과학자인 그레이스 호퍼가 마크 II 컴퓨터에서 발견된 나방을 제거하면서 처음 사용한 용어이다.

[해설]

디버그(debug)라는 용어는 컴퓨터 과학의 역사에서 중요한 사건에서 유래했다. 1940년대 중반, 미국의 해군 장교이자 컴퓨터 과학자인 그레이스 호퍼(Grace Hopper)는 컴퓨터 역사상 첫 번째 프로그래머 중 한 명이었다. 그녀는 당시 하버드 대학교에서 마크 II 컴퓨터(Mark II)를 운영하고 있었다. 이 컴퓨터는 당시 최신 기술로 만든 기계였지만 여전히 많은 문제를 안고 있었다.

어느 날, 마크 II 컴퓨터가 갑자기 오작동을 일으켰다. 호퍼와 그녀의 동료들은 컴퓨터 내부를 조사하기 시작했고, 그 과정에서 한 마리의 나방이 전기 회로에 끼어 있는 것을 발견했다. 그 나방은 회로를 단락시켜 컴퓨터의 오작동을 유발한 것이다. 호퍼는 이 사건을 기록하기 위해 나방을 테이프에 붙여두고 "디버그드(De-bugged)"라는 단어를 사용했다. 이 단어는 문자 그대로 "벌레를 제거하다"라는 뜻이다. 이 기록은 오늘날까지도 컴퓨터 역사 박물관에 보관되어 있다.

그 이후, 컴퓨터 과학자들은 프로그램에서 오류를 찾아 수정하는 과정을 "디버깅(debugging)"이라고 부르게 되었다. 디버깅은 컴퓨터 프로그램의 오류를 찾아내고 수정하는 일련의 과정으로, 소프트웨어 개발에서 매우 중요한 부분을 차지한다. 디버깅 과정은 프로그램의 코드 라인 하나하나를 면밀히 조사해야 하므로, 상당한 인내심과 꼼꼼함이 요구된다.

디버깅의 중요성은 컴퓨터 과학이 발전하면서 더욱 커졌다. 초기의 컴퓨터들은 매우 단순한 구조를 가지고 있었지만, 현대의 컴퓨터와 소프트웨어는 매우 복잡한 구조와 많은 코드를 포함하고 있다. 점점 오류가 발생할 가능성도 훨씬 높아졌으며 소프트웨어가 복잡해질수록 디버깅 과정도 더 어려워지고 중요해진다.

현대의 디버깅 도구는 매우 다양하다. 예를 들어, 통합 개발 환경(IDE)은 코드 작성과 동시에 실시간으로 오류를 검사해주는 기능을 제공한다. 또한, 다양한 프로파일링 도구는 프로그램의 성능을 분석하고 최적화하는 데 도움을 준다. 이러한 도구들은 프로그래머가 효율적으로 디버깅을 수행할 수 있도록 돕는다.

결론적으로, 디버그라는 용어는 그레이스 호퍼가 컴퓨터에서 나방을 제거한 사건에서 유래되었다. 이는 프로그램의 오류를 찾아내고 수정하는 디버깅 과정의 시초가 된 사건으로, 오늘날까지도 디버깅은 소프트웨어 개발에서 필수적인 과정이다. 호퍼의 유산은 현재에도 큰 영감을 주고 있으며 역사에 길이 남을 것이다.

매일 더 똑똑해지는 IT 교양서

ZERO TO ONE #1

『 76 』

스마트 계약(Smart Contract)을 개발 중인 Alice는 최근 Solidity 언어로 작성된 코드를 검토하고 있다. 그는 해당 코드의 주석을 보고 이 주석이 NatSpec 주석이라는 것을 알아차렸다. NatSpec 주석을 이용하면 코드의 각 부분에 대한 설명을 체계적으로 제공할 수 있다. 다음 중 NatSpec 주석의 특징으로 옳지 않은 것은 무엇인가?

1. 코드의 기능에 대한 상세한 설명을 제공한다.

2. 주석에 포함된 태그를 통해 자동화된 문서화를 지원한다.

3. 테스트 케이스 작성에 대한 지침을 제공한다.

4. 계약의 공개 인터페이스에 대한 설명을 작성할 수 있다.

[정답]
3. 테스트 케이스 작성에 대한 지침을 제공한다.

[해설]
NatSpec(Natural Specification)은 Ethereum 스마트 계약 언어인 Solidity에서 사용되는 표준 주석 형식이다. NatSpec 주석의 주요 목적은 스마트 계약의 코드에 대해 사람과 기계가 모두 이해할 수 있는 설명을 제공하는 것이다. NatSpec 주석은 특정 형식의 태그를 사용하여 주석을 작성하고, 이는 문서화 도구와 통합되어 자동으로 문서화된다. 이를 통해 개발자는 코드의 기능, 매개변수, 반환 값 등에 대해 상세하게 기술할 수 있다. 다음은 NatSpec 주석의 주요 특징에 대한 자세한 설명이다.

먼저, NatSpec 주석은 코드의 기능에 대한 상세한 설명을 제공하는 데 중점을 둔다. 이를 통해 개발자와 사용자는 코드의 의도와 작동 방식을 쉽게 이해할 수 있다. 주석은 @notice, @dev, @param, @return 등의 태그를 사용하여 각기 다른 정보들을 구분하여 기술한다. 예를 들어, @notice 태그는 계약의 중요한 정보를 사용자에게 전달하는데 사용되고, @dev 태그는 개발자에게 유용한 추가 정보를 제공한다. 이처럼 각 태그는 특정 목적을 가지고 있으며, 이를 통해 주석의 가독성과 유용성을 높인다.

또한, NatSpec 주석은 자동화된 문서화를 지원한다. Solidity

컴파일러나 기타 도구를 사용하여 NatSpec 주석이 포함된 코드를 분석하면, 자동으로 HTML 문서나 기타 형식의 문서가 생성된다. 이는 코드 유지보수에 도움을 주며 여러 명의 개발자가 협업할 때 역시 도움이 된다. 자동화된 문서화 기능 덕분에 코드에 대한 일관된 문서화가 가능해지고, 문서 작성에 소요되는 시간과 노력을 절약할 수 있다.

NatSpec 주석은 계약의 공개 인터페이스에 대한 설명을 작성할 수 있게 한다. 스마트 계약(소프트웨어)은 블록체인에 배포되면 누구나 접근할 수 있기 때문에, 외부 사용자에게 계약의 기능과 사용법을 명확히 전달하는 것이 중요하다. 이를 위해 NatSpec 주석은 함수와 변수에 대한 설명을 포함하여 사용자가 이해하기 쉽게 작성할 수 있다. 예를 들어, 특정 함수의 매개변수가 무엇을 의미하는지, 반환 값이 어떤 역할을 하는지 등에 대한 정보를 자세히 설명할 수 있다.

하지만, NatSpec 주석은 테스트 케이스 작성에 대한 지침을 제공하지 않는다. 테스트 케이스는 코드의 동작을 검증하기 위해 작성되는 코드로, 주석과는 다른 목적으로 사용된다. NatSpec 주석은 주로 코드의 이해를 돕고 문서화를 지원하는 역할을 하며, 테스트 케이스 작성과는 직접적인 연관이 없다. 테스트 케이스는 개발자가 코드의 기능을 검증하기 위해 별도로 작성해야 하며, 이는 주석과는 별개의 작업이다.

요약하자면, NatSpec 주석은 Solidity 코드에 대해 상세한 설명을 제공하고, 자동화된 문서화를 지원하며, 계약의 공개 인터페이스에 대한 설명을 작성할 수 있게 한다. 그러나 테스트 케이스 작성에 대한 지침을 제공하지는 않는다. 따라서 NatSpec 주석의 특징으로 옳지 않은 것은 3번이다.

『 77 』

한 중소기업의 개발 팀은 새로운 프로젝트를 시작했다. 이 프로젝트는 클라우드 기반의 데이터 관리 시스템을 개발하는 것이었다. 팀원들은 모두 뛰어난 실력을 가지고 있었지만, 문서화를 철저히 하지 않았다. 프로젝트는 초기 단계에서 순조롭게 진행되었으나, 프로젝트가 중반을 넘어서면서 여러 문제가 발생하기 시작했다. 개발팀은 각기 다른 모듈을 맡아 개발하였고, 회의에서 구두로만 정보를 공유했다. 그 결과, 우려하던 문제가 발생했다. 이 상황에서 소프트웨어 문서화가 부족해서 발생한 문제로 보기에 가장 적절한 것은 무엇인가?

1. 특정 모듈의 코드 오류를 해결하는 데 시간이 많이 걸렸다.

2. 새로운 팀원이 프로젝트에 참여했으나, 프로젝트 이해도가 낮아 생산성이 저하되었다.

3. 고객의 요구사항이 변경되었으나, 이를 반영하기 위해 기존 코드를 재구성하는 데 어려움을 겪었다.

4. 모듈 간 인터페이스가 맞지 않아 통합 테스트에서 여러 오류가 발생했다.

[정답]

2. 새로운 팀원이 프로젝트에 참여했으나, 프로젝트 이해도가 낮아 생산성이 저하되었다.

[해설]

소프트웨어 문서화의 부족은 다양한 문제를 일으킬 수 있지만, 이 사례에서 특히 주목해야 할 문제는 새로운 팀원이 프로젝트에 참여했을 때 프로젝트 이해도가 낮아져 생산성이 저하된 것이다. 문서화는 프로젝트의 모든 측면을 기록하고 공유하는 중요한 과정이다. 이를 통해 팀원 간의 커뮤니케이션을 원활하게 하고, 프로젝트의 일관성을 유지하며, 새로운 팀원이 쉽게 프로젝트에 적응할 수 있도록 돕는다.

1. 문서화는 코드의 가독성을 높이고 유지보수를 용이하게 한다. 문서화가 잘 되어 있는 프로젝트는 코드가 복잡해지더라도 이를 이해하고 수정하는 데 필요한 정보를 제공한다. 예를 들어, 코드 주석, 함수 설명, 모듈 간의 의존성 설명 등이 포함된다. 이러한 문서가 부족하면, 특정 모듈의 코드 오류를 해결하는 데 시간이 많이 걸릴 수 있다. 그러나 이 문제는 경험이 많은 개발자라면 해결할 수 있는 문제이며, 문서화의 중요성을 보여주지만, 이 사례의 핵심 문제라고 보기는 어렵다.

2. 새로운 팀원이 프로젝트에 참여할 때 문서화가 부족하면 프로

젝트의 구조와 기능을 이해하는 데 많은 시간이 필요하다. 문서화는 프로젝트의 개요, 개발 환경 설정, 각 모듈의 역할과 기능, 코드 작성 가이드라인 등을 포함하여 새로운 팀원이 신속하게 프로젝트에 적응할 수 있도록 돕는다. 이 경우, 문서화가 부족하여 새로운 팀원이 프로젝트에 적응하는 데 어려움을 겪고, 이는 생산성 저하로 이어진다. 따라서 정답은 2번이다.

3. 고객의 요구사항이 변경되었을 때, 문서화가 되어 있지 않으면 기존 코드를 재구성하는 데 어려움을 겪을 수 있다. 고객의 요구사항을 반영하려면 기존 시스템의 구조와 동작 방식을 충분히 이해해야 한다. 문서화가 이를 돕지만, 이 문제는 요구사항 변경 자체와 관련이 있으며, 문서화의 직접적인 문제라기보다는 개발 프로세스 전반의 유연성과 관련이 더 많다.

4. 모듈 간 인터페이스가 맞지 않아 통합 테스트에서 오류가 발생하는 문제도 문서화의 부족과 관련이 있다. 모듈 간의 인터페이스와 통합 방법을 명확히 문서화하지 않으면, 각 모듈이 독립적으로 개발될 때 인터페이스가 일치하지 않는 경우가 발생할 수 있다. 이는 통합 단계에서 문제를 일으킬 수 있다. 그러나 이 문제 역시 통합 테스트 과정에서 발생하며, 문서화 부족이 원인 중 하나가 될 수 있지만, 문서화 외에도 팀 간의 커뮤니케이션과 협업 등도 중요한 요소이다.

결론적으로, 소프트웨어 문서화는 프로젝트 관리와 개발 과정에서 중요한 역할을 한다. 문서화가 부족하면 새로운 팀원의 생산성이 저하될 뿐만 아니라, 코드 오류 해결, 고객 요구사항 반영, 모듈 통합 등 여러 문제를 일으킬 수 있다. 그러나 이 문제들 중에서 특히 새로운 팀원이 프로젝트에 적응하는 데 어려움을 겪는 문제는 문서화 부족의 직접적인 결과로 가장 두드러진다. 따라서 문서화를 철저히 하고, 프로젝트의 모든 측면을 기록하여 공유하는 것이 중요하다. 이는 프로젝트의 성공과 팀의 효율성을 높이는 데 필수적이다.

매일 더 똑똑해지는 IT 교양서

ZERO TO ONE #1

『 78 』

당신은 대규모 금융 소프트웨어 시스템의 주요 아키텍트이다. 최근 팀에서 릴리즈한 기능이 생각보다 많은 버그를 발생시켰고, 이는 시스템 전반에 걸쳐 심각한 문제를 일으키고 있다. 시스템은 매우 복잡하고, 서로 밀접하게 결합된 모듈들로 구성되어 있어 문제의 원인을 찾기 어렵다.

팀원 중 한 명이 "SOLID 원칙을 따르지 않은 것이 문제의 원인"이라고 주장하며, 이를 해결하기 위해 SOLID 원칙을 다시 적용해야 한다고 주장한다. 다음 중 이 상황에서 가장 먼저 고려해야 할 SOLID 원칙과 관련된 조치는 무엇인가?

1. SRP(Single Responsibility Principle) 위반 여부를 점검하고, 모듈이 단일 책임만을 가지도록 분리한다.

2. OCP(Open/Closed Principle)를 위반한 코드를 찾아내고, 기존 코드를 수정하지 않고 기능을 확장할 수 있도록 리팩토링한다.

3. LSP(Liskov Substitution Principle)를 위반한 부분을 찾아내고, 자식 클래스가 부모 클래스의 기능을 온전히 대체할 수 있도록 수정한다.

4. DIP(Dependency Inversion Principle)를 위반한 코드를 찾아내고, 의존 관계를 인버전하여 고수준 모듈이 저수준 모듈에 의존하지 않도록 한다.

[정답]

1. SRP(Single Responsibility Principle) 위반 여부를 점검하고, 모듈이 단일 책임만을 가지도록 분리한다.

[해설]

SRP(Single Responsibility Principle), 단일 책임 원칙은 각 클래스가 하나의 책임만을 가져야 한다는 원칙이다. SRP를 위반한 경우, 하나의 클래스가 여러 가지 책임을 가지게 되므로 변화에 민감해지고, 유지보수가 어려워진다. 만약 시스템이 복잡하고 밀접하게 결합된 모듈들로 구성되어 있어 문제의 원인을 찾기 어렵다면, 이는 SRP가 지켜지지 않았을 가능성이 크다.

첫째로, SRP 위반 여부를 점검해야 한다. 모듈이 단일 책임을 지도록 분리하는 것은 첫 번째 해결책으로 적합하다. 예를 들어, 어떤 클래스가 데이터베이스 접근과 비즈니스 로직을 동시에 처리하고 있다면, 이 클래스는책임을 지고 있다. 이 경우 데이터베이스 접근 로직을 별도의 클래스로 분리하고, 비즈니스 로직을 담당하는 클래스는 비즈니스 로직만 처리하도록 해야 한다.

둘째로, OCP(Open/Closed Principle)도 중요하다. 소프트웨어 엔티티(클래스, 모듈, 함수 등)는 확장에는 열려 있어야 하지만 수정에는 닫혀 있어야 한다는 원칙이다. 새로운 기능을 추가할 때 기존 코드를 수정하지 않고 기능을 확장할 수 있어야 한다. 하지만 OCP를 첫 번째로 고려하기에는 이미 많은 버그가 발생하였으므로, OCP 위반 여부를 찾기보다는 SRP 위반 여부를 먼저 점검하는 것이 더 중요하다. SRP 위반으로 인해 모듈 간의 결합 정도가 높아지면, 변경이 발생할 때 많은 부분을 수정해야 할 가능성이 함께 커지기 때문이다.

셋째로, LSP(Liskov Substitution Principle)는 자식 클래스가 부모 클래스를 대체할 수 있어야 한다는 원칙이다. 즉, 자식 클래스는 부모 클래스에서 예상한 모든 동작을 수행해야 한다. 만약 LSP가 위반되었다면, 자식 클래스를 사용하는 코드에서 예기치 못한 동작이 발생할 수 있다. 그러나 LSP 위반 여부를 점검하는 것 또한 SRP 위반 여부를 점검한 후에 진행하는 것이 더 적절하다. 왜냐하면 LSP 위반은 클래스 계층 구조에서 발생하는 문제이므로, 먼저 클래스의 책임을 명확히 하는 것이 우선이기 때문이다.

넷째로, DIP(Dependency Inversion Principle)는 고수준 모듈이 저수준 모듈에 의존해서는 안 되고, 추상화된 인터페이스에 의존해야 한다는 원칙이다. DIP를 위반한 경우, 고수준 모듈이 저수준 모듈의 변화에 민감해지며 시스템이 변경되기 어렵다. 그러나 DIP 위반 여부를 점검하기 위해서는 먼저 SRP와 OCP가 지켜졌는지를 확인하는 것이 중요하다. SRP와 OCP가 지켜지지 않은 상태에서 DIP를 적용하는 것은 직접적인 해결책이 되기 어렵기 때문이다.

결론적으로, 현재 상황에서 가장 먼저 고려해야 할 것은 SRP 위반 여부를 점검하고, 모듈이 단일 책임만을 가지도록 분리하는 것이다. 이는 시스템의 복잡성을 줄이고, 각 모듈이 명확한 책임을 가지도록 하여 유지보수와 확장성을 높이는 첫 번째 단계가 된다. SRP가 제대로 적용되면 이후 OCP, LSP, DIP 등 다른 원칙들을 적용하는 것이 순서상 적합하다.

『 79 』

한 유명 소셜 네트워크 사이트의 보안팀은 최근 사용자들의 계정이 무단으로 접속되는 사례가 증가하는 것을 발견했다. 보안팀은 신속히 조사를 시작했고, 대부분의 피해자들이 동일한 패턴을 보인다는 사실을 알게 되었다. 공격자는 피해자들의 계정에 접근하기 위해 이메일과 비밀번호를 사용했는데, 이 정보들은 이전에 해킹된 다른 사이트에서 유출된 것으로 보였다. 이 보안 위협은 어떤 기법과 관련이 있을까?

1. 피싱(Phishing)

2. 멀웨어(Malware)

3. 크리덴셜 스터핑(Credential Stuffing)

4. 키로깅(Keylogging)

[정답]
3. 크리덴셜 스터핑(Credential Stuffing)

[해설]
'크리덴셜 스터핑(Credential Stuffing)은 해커가 이미 유출된 사용자 이름(이메일)과 비밀번호 쌍을 다른 여러 웹사이트에서 자동으로 대입해보는 공격 기법이다. 이 기법은 대규모의 자동화된 시도를 통해 많은 웹사이트에서 계정에 무단으로 접근하는 것을 목적으로 한다. 쉽게 말해, 해커는 한 웹사이트에서 유출된 로그인 정보를 다른 웹사이트에서도 사용해보는 것이다. 이러한 방식이 통하는 이유는 많은 사용자가 여러 사이트에서 같은 비밀번호를 사용하기 때문이다.

해당 소셜 네트워크 사이트에서 발생한 무단 접속 사례는 공격자가 이전에 해킹된 다른 사이트에서 유출된 이메일과 비밀번호 정보를 사용해 로그인 시도를 했기 때문에 발생했다고 판단하는 것이 보기 중 가장 자연스럽다. 이는 크리덴셜 스터핑 공격의 전형적인 특징며 일반적인 공격 과정은 대략 다음과 같다:

1. 해커는 이전에 유출된 사용자 계정 정보를 얻는다. 이는 다크 웹이나 해커 포럼 등에서 쉽게 구할 수 있다.

2. 해커는 자동화된 도구를 사용해 다양한 웹사이트에서 이 계정

정보를 사용해 로그인을 시도 한다.

3. 사용자가 여러 웹사이트에서 동일한 이메일과 비밀번호 조합을 사용했다면, 공격자는 해당 계정들에 접근할 수 있다.

이러한 공격은 사용자뿐만 아니라 웹사이트 운영자에게도 큰 위협이 된다. 사용자는 자신의 개인정보가 무단으로 사용되어 피해를 입을 수 있고, 웹사이트는 대규모의 로그인 시도로 인해 서버에 부담이 가중되는 등으로 신뢰도가 하락할 수 있다.

크리덴셜 스터핑을 방지하기 위해 사이트 운영 측에서는 다음과 같은 보안 조치가 필요하다.

1. 다중 인증(Multi-Factor Authentication, MFA): 사용자가 로그인할 때 추가적인 인증 절차를 요구하는 것이다. 예를 들어, 비밀번호 외에도 문자 메시지로 받은 코드나 인증 앱을 통해 인증한다.

2. 비밀번호 정책 강화: 사용자가 복잡하고 유일한 비밀번호를 사용하도록 권장하고, 정기적으로 비밀번호를 변경하게 한다.

3. 의심스러운 로그인 탐지: 비정상적인 로그인 시도를 탐지하면 이를 사용자에게 알리거나 추가적인 인증 절차를 요구한다.

4. 데이터 유출 모니터링: 다른 웹사이트에서 유출된 계정 정보를 모니터링하고, 유출된 정보가 발견되면 해당 계정의 비밀번호를 변경하도록 사용자에게 알린다.

사용자는 다음과 같은 방법으로 스스로를 보호할 수 있다:

1. 웹사이트마다 다른 비밀번호 사용: 같은 비밀번호를 여러 사이트에서 사용하지 않는 것이 중요하다.

2. 비밀번호 관리 툴 사용: 복잡하고 유일한 비밀번호를 기억하기 어렵다면 비밀번호 관리자 같은 툴을 사용해 비밀번호를 관리하는 것도 방법이다.

3. 정기적인 비밀번호 변경: 주기적으로 비밀번호를 변경함으로써 계정 보안을 강화한다.

누군가 반복적으로 자신의 계정을 무단으로 사용하려고 시도하고 있다는 점은 소름이 끼칠 수 있다. 하지만 위에서 언급한 보안 조치를 잘 준수하면 이런 공격으로부터 자신의 계정을 일정 수준으로 보호할 수 있다.

『 80 』

해킹 대회에 참가한 유진은 문제를 하나 풀고 있다. 해당 문제는 오래된 은행 시스템에 숨겨진 취약점을 찾아내는 내용이다. 주어진 정보는 시스템이 실행하는 여러 프로세스와 그 로그 파일뿐이다. 유진은 아직 이 시스템에 대해 잘 모른다. 로그 파일을 분석하던 중, 유진은 매일 자정마다 특정 프로세스가 자동으로 실행된다는 것을 발견한다. 그러나 이 프로세스는 그 외의 시간대에는 절대로 작동하지 않는다. 또한, 자정이 지나면 그 프로세스는 자신을 삭제하고 재생성하는 듯하다. 유진은 이 현상을 이해하지 못해 묘하게 답답하다. 자정이 가까워지자, 유진의 컴퓨터 화면에는 "삭제 예정"이라는 알림과 함께 "계속 지켜본다"는 메시지가 나타난다. 유진은 이것이 단순한 오류가 아니라 시스템의 작동 과정 중 하나일 수 있다고 판단하고 있다. 이 상황에서 유진이 최우선으로 해야 할 일은 무엇인가?

1. 시스템을 재부팅한다.
2. 로그 파일을 백업한다.
3. 프로세스 실행을 중지한다.
4. 관리자에게 보고한다.

[정답]
2. 로그 파일을 백업한다.

[해설]
유진은 로그 파일을 분석하면서 자정마다 특정 프로세스가 자동으로 실행된다는 점을 발견했다. 이 프로세스는 자정이 지나면 자신을 삭제하고 재생성하는 것처럼 보인다. 이는 시스템이 정기적으로 실행하는 작업이나 보안 체계의 일환일 수 있다. 하지만 "삭제 예정"이라는 알림과 "계속 지켜본다"는 메시지가 나타나면서 상황은 단순하지만은 않음을 암시한다. 유진은 이 현상이 시스템의 메커니즘 중 하나라고 판단했다. 이 시점에서 최우선으로 해야 할 일은 로그 파일을 백업하는 것이다.

첫째, 로그 파일을 백업하는 이유는 기록 확보다. 이 프로세스가 자정마다 삭제되고 재생성된다면, 그 동안의 로그 파일은 중요한 단서가 될 수 있다. 만약 시스템 재부팅이나 프로세스 중지 등 다른 조치를 먼저 취하면, 기존의 로그 파일이 손실될 가능성이 높다. 이는 문제 해결에 필요한 정보가 소실될 수 있다.

둘째, 로그 파일을 백업함으로써 분석할 수 있는 시간을 벌 수 있다. 로그 파일에는 시스템의 활동이 기록되어 있다. 이를 통해 문제의 원인과 해킹 시도의 단서를 찾을 수 있다. 특히, 자정마다 실행되는 프로세스가 어떤 작업을 수행하는지, 어떤 변화를 일으키는지 등을 파악하는 데 필수적이다.

셋째, 로그 파일을 백업한 후에는 해당 문제를 더욱 면밀히 조사할 수 있다. 시스템 관리자나 보안 전문가에게 로그 파일을 제공해 보다 전문적인 의견을 들을 수 있다. 어쩌면 로그 파일을 통해 시스템의 취약점을 찾아내는 등의 성과가 있을 수 있다.

넷째, "계속 지켜본다"는 메시지는 단순한 시스템 메시지가 아닐 가능성도 있다. 이는 누군가가 시스템을 감시하고 있음을 의미할 수 있다. 따라서 로그 파일을 백업함으로써, 이후 발생할 수 있는 상황에 대비할 수 있다.

이와 같은 이유들로 인해, 유진이 최우선으로 해야 할 일은 로그 파일을 백업하는 것이다. 이것이 문제 해결의 첫걸음이며, 이후의 분석과 대응을 위한 기초가 된다. 시스템을 잘 모르는 상황에서는 최대한 많은 정보를 확보하는 것이 중요하다. 이를 통해 시스템을 더 잘 이해하게 되면 좋은 해결 방안을 모색할 수도 있을 것이다.

매일 더 똑똑해지는 IT 교양서

ZERO TO ONE #1

『 81 』

과거, 다크 웹을 통해 마약 판매를 중개하는 사이트인 '실크로드(Silk Road)'의 운영자가 FBI에 체포되었다. 토르 브라우저와 비트코인을 이용해 자신의 신원을 감추려 했던 이 운영자의 체포 과정은 다음 중 어떤 방법으로 이루어졌을까?

1. FBI가 토르 브라우저의 암호화 기술을 직접 해킹하여 운영자의 신원을 밝혀냈다.

2. 운영자가 다크 웹에 접속하기 위해 사용한 VPN의 로그를 FBI가 압수하여 신원을 추적했다.

3. 운영자가 실수로 자신의 이메일을 통해 개인 정보를 노출시켰고, 이를 통해 FBI가 그의 신원을 알아냈다.

4. FBI가 다크 웹 사용자를 대상으로 한 대규모 스캠 작전을 통해 운영자의 신원을 확보했다.

[정답]

3. 운영자가 실수로 자신의 이메일을 통해 개인 정보를 노출시켰
   고, 이를 통해 FBI가 그의 신원을 알아냈다.

[해설]

토르 브라우저는 인터넷 사용자들이 자신의 신원을 숨기고 웹사이트에 접속할 수 있게 해주는 도구로, 특히 다크 웹에서 널리 사용된다. 그러나 다크 웹에서 유명했던 마약 중개 사이트였던 '실크로드(Silk Road)'의 운영자인 로스 울브리히트(Ross Ulbricht)는 토르 브라우저를 사용했음에도 불구하고 FBI에 체포되었다. 울브리히트는 '드레드 파이러트 로버츠(Dread Pirate Roberts)'라는 가명으로 활동했지만, 그의 체포는 토르 브라우저의 기술적 한계 때문이 아니었다. 오히려 사람의 실수가 주요 요인이었다.

실크로드 운영 당시, 울브리히트는 자신이 직접 운영자인 것을 철저히 숨기고자 다양한 보안 조처를 했다. 그는 VPN과 암호화된 이메일 서비스, 그리고 비트코인 거래만을 사용하여 흔적을 남기지 않으려 했다. 그러나 그는 초기에 몇 가지 치명적인 실수를 저질렀다. 그 중 하나는 바로 자신이 운영하는 실크로드에 대한 초기 홍보를 위해 본인의 개인 이메일 계정을 사용했던 것이다.

울브리히트는 포럼에서 실크로드를 홍보하면서 자신의 Gmail 주

소를 언급했는데, 이 이메일 주소는 그의 실제 신원과 연결될 수 있는 정보였다. 이 작은 부주의가 FBI에게 결정적인 단서를 제공했다. FBI는 울브리히트의 이메일 계정을 통해 그가 사용하는 여러 온라인 서비스와 그의 실제 신원을 연결 지을 수 있었다. 이를 통해 울브리히트가 실크로드의 운영자임을 확신할 수 있었다.

울브리히트는 또 다른 정보도 쉽게 노출하였다. 그는 자신의 노트북을 암호화하지 않았고, 체포 당시 노트북도 열려 있였다. 이로 인해 FBI는 노트북에 저장된 모든 데이터를 쉽게 접근할 수 있었다. 여기에는 실크로드 운영과 관련된 중요한 문서와 기록들이 포함되어 있었다. 이 정보들은 법정에서 그의 유죄를 입증하는 데 중요한 증거로 사용되었다.

이 사례는 토르 브라우저와 같은 기술을 사용하더라도, 인간의 실수나 부주의가 어떻게 영향을 줄 수 있는지를 보여준다. 아무리 최신 기술로 보안 조치를 하더라도 작은 실수가 전체를 무너뜨릴 수 있다는 메시지를 전해주었다.